名探偵コナン

めい たん てい

VOLUME 25

DETECTIVE CONAN

あおやま ごうしょう
青山剛昌

★前巻までのあらすじ★

小さな名探偵・江戸川コナンの姿で、世紀末の難事件に挑む高校生名探偵・工藤新一。

やっかいな事件に関わっているため、居候先のGF・蘭の家、毛利探偵事務所でも正体は秘密。

だが、発明家の阿笠博士はよき協力者。コナンと同じ薬で幼児化し、黒ずくめの組織を抜け出した元科学者・灰原哀と同居中。

ある日、組織の一員・ジンに遭遇したコナンは、哀が止めるのも聞かずに追跡。奴らの暗殺計画を知るが、逆に存在を気づかれた哀は、敵の手中に落ちて大ピンチ。

負傷した哀を間一髪で救出したコナンは、打倒・組織を決意する…!!

名探偵コナン 25　　目　次

■青山剛昌■

FILE.1 仲間外れ!?

トロピカルランド
スケートリンク
わぁーーー!!
TROPICAL ICELAND
SHOOTER

いる!!
いる!!
いる!!
いい男より取り見取り大漁よーー♡
ちょっと園子?
京極さんはどーしたのよ?
だあってーーー…

真さん…王子様っていうより生傷だらけの侍って感じなんだもん…
外国に行ったっきりちっとも連絡くれないし――…ちょっと冷めぎみって感じ――…
また――そんな事言ってたら殺されちゃうよ？京極さんファンの子多いんだから…
あら、あなたと一緒にしないでくれるー？

ダンナの帰りをじっと我慢して健気にずーっと待ち続けてる蘭とはね――！
べ、別に新一なんか待ってないわよ!!
おやおやァ？わたし「新一」なんて一言も言ってないけどー？
あのねぇー…
それに、このリンクだって前にあなた達がよく遊びに来た思い出の場所だから選んだんでしょー？
いい思い出なんかないわよ！なかなか滑れなくてわたし、新一にバカにされてたんだもん…

じゃー手取り足取り腰取り教えてもらったってわけだ♡
グフフ…
なによ…今日はやけに絡むじゃない？
あ、だから今日は蘭がこの子にスケート教える番ねって言ってるのよ！
あ、いいよボクは別に…

疑わしきは
全て消去する…
これが彼らの
やり方よ…
わかったでしょ？
私達は誰にも
正体を気づかれちゃ
いけないって事が…
たとえその人が
口の堅い信用のおける
人だとしても、
あなたと組織の
関わりを知れば
それがその人の重荷に
なるのは確実…

よくは知らないけど、
あなたの事を想う
その人の気持ちが
強ければ強いほど、
毎日怯えて
暮らす事になり
笑顔なんて
消えてしまう…
誰の事だか
わかるわよね
工藤君？

………
え？
なに？
この子
滑れるの？
さぁ…
コナン君と
スケートするの
初めてだから…
そうなの？
コナン君？
あ…
あわわ
わわ…

ステン

あちゃー
もしかして
初めて？
……

コヤツいつも
生意気だから
イジメちゃ
おっか
なー♡
ピン
止めなよ
園子…

ホラ
立って…
わたしが教えて
あげるから…

ね！
う、
うん…
きゃあ
ああ…
どいて
どいて!!

テテテ…
たた…
伊丹千尋(27)
社長令嬢

おーい
大丈夫かー？
いったーい
助けて
康治ぃー…
ジャー
──ったく……
三沢康治(29)
銀行員
そんなに
うまくないのに
スピード出すから
だよ…
だってぇー。
フン…

6

そうやって
カワイ子ぶって
男の気を
引けるのも
今の内よ！
千尋…
佐野 泉(28)
OL
好奇心旺盛で
アクティブなお嬢様も、
30越えたらただの
オバサンなんだから…
ひっどーい
どーしていつも
そーいう事
言うの？
あなた
見てると
イラつく
のよ…
まぁ
まぁ…

せっかく久し振りに会ったクレー仲間じゃないの!
ケンカなんか止めましょうよ!
小松頼子(30)
主婦
へ――
皆さんクレー射撃やってらっしゃるんですかー?
何それ?
ほら、小さな皿を飛ばしてショットガンで撃ち落とすアレさ!
今日も昼間みんなでやって来たところなのよ!
やっぱり一人より大勢の方が楽しいし…
半年前のあの事故以来、みんなとは会ってなかったからね――!

半年前の…
あの事故?

そうなのよ――!
聞いてくれるボウヤ…
ちょっとドジな怖アーい
お話…
止めろ…

え？
お前馬鹿か？
あんな事
子供に話して
どーする？
それに
言ったはず
だぞ…
アイツの事を
口にしたら、
オレは即
帰るって…
織田國友(29)
消防士
わ、
いい男～♡
バリバリ
侍系じゃ
ない…
ゴメーン
忘れてた！
エヘ♡
……
お、おい織田、
帰っちゃうのかよ？
この後飲むんだろ？
その辺で
タバコを
吹かして来る
だけだ…
どっかの
バカのせいで、
イヤな事
思い出して
しまった
からな…
スイーッ

フン、なにさ！
ちょっと顔が
いいからって、
カッコつけちゃって
さ！
でも
あなたが
悪いのよ、
あんな話
するから…
ちょっと口が
滑っただけじゃない！
なのにバカバカ
って…
ひどいのは
あっちの方
でしょー？

私、あの人きらーい！
暗いし口悪いしあの人だけ仲間外れだし…
仲間外れ？
ちょっとそれ、随分前から気になってるんだけど…いい加減に教えてくれない？
え？ ウソ…まだわかってないの？

あの――オレもまだわかってないんだけど…
私もー何で彼だけ仲間外れなの？
えー―っウソウソウソマジ信じられなーい。
だーかーらーさっさと教えなさいよ、イラつくわね!!
やーだ！泉には絶対教えてあげなーい！
まぁ好奇心旺盛なお嬢様じゃないあなた達には、一生解けないかもしれないけどねー―！
スイー
おい、どこ行くんだよ？

おトイレよ！
戻って来てわかんなかったらヒントを差し上げますわよ…
ホホホ…
あー―ムカつく〜〜!!
それで？好奇心旺盛な鈴木財閥のお嬢様…？
今のわかる？
さぁ…

それよりなんかさっきから人、増えてなーい？
きっと花火のせいだよ！
あぁ…ここで毎晩夜7時に上がるアレ？
うん！このリンクは丁度花火とあのお城が重なって見える特等席ってわけ！
あら、よく知ってるじゃない！私達もそれ目当てなのよ！
例によって私はパス！近くでコーヒーでも飲んでるわ！ここの花火何度も見たし…
スィー

あれ？三沢君も見ないの？
ちょっとおなか空いちゃって…花火までには戻って来るからそこで待っててよ！
待っててくれったって…
私…さっきからトイレ我慢してたのに…
行って来て平気ですよ！

10

わたし達ずっとこの辺で滑ってますから…
お友達が来られたら、ここに集まるように言えばいいんでしょ？
ええ…悪いわね…
じゃあすぐに戻って来るからお願いね！
は――い！

TOILET

ちょっとちょっと——…
もう55分よ——…

何やってんのよー…
早くしないと花火始まっちゃうじゃない…

コツ
コツ

コン
ココン

もォーー遅いじゃないの!
ガチャ

え？

な!?

来ないね みんな…
うん…
ゴメン蘭、わたしもトイレ…

TOILET
トイレトイレ…
あれ？どーしたんですか？
これこれ！

ウソ…
トイレ清掃中
しばらくお待ち
下さい
トロピカルランド

ちょ、ちょっと待ってよ!!
今さらあの事故が私のせいだなんて言われたってアハハ…
そ、それにさぁーいくらそんな格好で顔を隠したって、私を撃ったらその銃声を聞いてみんなが飛んで来てすぐに捕まっちゃう…
まさか…

モゴッ
コン
コン
あのーーすみませーん…

まだかかりますーー?
トイレ清掃中
しばらくお待ち下さい
トロピカルランド
コン
コン
困ったなー…
このトイレじゃないと、靴を履き替えなきゃいけないし…

ヒュウウウウウ
トイレ清掃
しばらくお待
下さい
え？
ドォン
ウソ…
ちょっとォー花火始まっちゃったじゃない！
どこ？どこ？
ーったくも———…
え？

わぁ〜〜〜!!
ドンドンドン
きれー!!

ホント…特にこの初っぱなのヤツは最高ね…
あれ?やっぱり見に来られたんですね!!

ええ…久し振りに見てみるのもいいかなって思ってね…
ピュウウ
ハァ
ハァ
ハァ

ふー
間に合った…

あら…千尋とあなたのお友達は?
え?トイレで会いませんでした?

もしかしてすれ違ったのかしら?
トイレ清掃中で私、靴履き替えて別のトイレに行ってたから…

キャアアア!
ちょ、ちょっと今の悲鳴…
園子!?
あ、ボウヤ!?

ザッ
ザッ
ザワ
ザワ
ダダダ
17
ガッ
どーしたの
園子姉ちゃん
!?
あ…
あれ…

S…
だと…?

FILE.2 死者は語らず

ドォン
ドォン
トロピカルランド
駐車場

ぐおお・・
ドド

ん?
お父さん!
起きてよお父さん!
ドンドン

なんだ蘭…あの花火見てから帰るんじゃなかったのか?
ドォン
それどころじゃないわよ!事件よ事件!!
ふぁ

スケートリンクのそばのトイレで人が殺されたのよ!!
あん?
スケートはいたソバ屋がトイレでころんだ?

いいから来て!
?

ザワ
ザワ
TOILET

そ、そんな…
ザワ
ザワ
ザワ

どうして千尋が…

どうして…

警察です！
ちょっと通してください！

ホラ、関係者以外は下がって!!

うわっ

ひどい死に様だな…
ええ…

誰も中に入っちゃいないでしょうな?
いや…僕達が駆けつけた時にはこのボウヤが中に…

コ、コナン君!?
…て事はまさか…

いやー偶然ですよ偶然!怒らんでくださいよ警部殿!
ハハ…怒る気にもなれんよ…

警部!どうやら凶器は、このショットガンと見て間違いないようです!
そうだな…
よーし、まずは銃の登録番号から所持者の割り出しを…
それ、私のよ…

クレー射撃に
使ってる
散弾銃…
佐野　泉(28)
OL
みんなの銃と一緒に
電子ロックつきの
ロッカーに入れてた
はずなんだけど…
みんなの
銃？
ええ…
その千尋と
私…

そして
後ろの三人は
クレー射撃仲間…
じゃあ
そのロッカーの
電子ロックを
掛けたのは？

私ですけど…
番号はみんなが
知ってます…
小松頼子(30)
主婦
前にみんなで
ここに来た時に
番号は「クレー仲間」の
「9017」にしようと
決めてましたから…
まあ、
あなた方四人を
調べればすぐに
わかる…
硝煙反応が
出た者が
犯人なん
だから…
四人共
反応は出ますよ！
僕達は昼間、
クレー射撃をやって
来たんですから…

それに
もしかしたらロックが
ちゃんと掛かって
なかったかも
しれないでしょ？
だとしたら
別の誰かが
ロッカーから
勝手に銃を
持ち出して…
三沢康治(29)
銀行員
いや
それはない…

忘れたのか？
ショットガンを持ち歩くガンケースは、中身がそれとわからないような物にするように義務づけられているのを…
織田國友(29)
消防士
泉のガンケースはただの皮のケース…
しかも銃はバラして収納されている…
他人がどうこうできる代物じゃない…
なるほど…つまりケースの中身がショットガンだとわかるのも…
それを組み立てられるのも…

あなた方四人しかいないというわけですな？
そ、そんな…

まあいい…とにかく犯行当時、このトイレ近くをうろついていた不審人物を見た者はいないかすぐに調べろ!!
はい！
あ、あの――…
私、見ました…
犯人がこのトイレから出て来るのを…
なに!?
本当なの園子!?

ピュウウ…
うん…このトイレの入り口に清掃中の札が掛かってて、ノックしても返事がないからドアの前で待ってたのよ…
そうしたら花火が始まっちゃって…ドアを離れて近くの窓から花火を見ようとしたらその時よ!
トイレから丈の長いフードつきのコートを着た変な人が出て来たのはね!!
トイレ清掃中 しばらくお待ち下さい
トロピカルランド
それで?その人の顔は見たんですか?
いいえ…フードとマフラーで顔は…
だが、犯人が銃声を花火の音に紛らせ、そんなコートまで逃走用に用意していたとなるとこれは計画的犯行!

とりあえずあなた方には別室で一人ずつじっくり話を聞かせてもらいましょうか…そうすれば、誰がこの遊園地に来ようと言い出したかわかるはず…
ちょっと待ってよ、ここに来るのはみんなで決めた事よ!
クレー射撃場から近いし…
前にもみんなで来て好評だったし…
ちょ…
まあまあ…それは事情聴取の時に…
いや…その必要はない…
現場を見た瞬間にピンときていたんだが、今の園子君の証言で確信しましたよ…
伊丹さんを銃殺した犯人が…

佐野泉さん…
あんただという事がね!!!
ちょっといい加減な事言わないでよ!何で私が…
あなたが犯人である要素は次の三つ…
一つ目は、殺人現場であるこの女子トイレ…清掃中の札で人払いをし、しかも被害者をここに留めさせていたという事は、ここで待ち合わせをしていた…
つまり犯人は女性!!

二つ目は、あなたと被害者の関係…
あなた方二人は絶えず口論をする犬猿の仲だったそうじゃないですか…
何言ってるの?それだけで私を犯人にするつもり?
そして決定的なのが死体の顔の横の壁にあるかすれた血の跡だ…

8

血の跡?
あなた方には被害者がもがいた跡のように見えるかもしれませんが…
私にははっきり読み取れますよ…

被害者がいまわの際に残したダイイングメッセージ!!!
「佐野」の「S」だとね!!!

警部が来る前に聞きましたよね? あなた方のお名前を…四人の中でこれに該当するのは佐野さん…あなたしかいないんですよ!!

違いますかな?
………

違うと思います!
え?

見れば大体予想できると思いますが、被害者は心臓を撃ち抜かれて即死状態です…
ですから撃たれた後、自分の血で文字を書き残すなんて不可能かと…

…ですよね…
それに、ここで待つように女性の誰かに伝言を頼まれたといえば、男でも待ち合わせはできるよ…
じゃああの「S」はまさか…
ああ、そうだ…

誰かが佐野さんの犯行に見せ掛けるためにわざと残した文字と見てまず間違いない！
凶器のショットガンも彼女の銃だそうだしな…
しかし引っ掛かりませんか？犯行直前にドアをノックしたんでしょ？花火が上がるまで被害者が犯人に銃を突きつけられていたのなら、何でその時大声で助けを求めなかったんでしょう？
どーせその時はまだ隣のトイレにでも潜んでいて花火の直前に犯行を…

あれれ～～何だこれ～～!?
あん？
なんかベトベトしたのがついてるよ──…

ホラ、この鉄砲の先っちょ…
こ、これは唾液!!

そうか！犯人は花火が上がるまでしばらく銃口を被害者の口に押し込んで口を塞いでいたんだ！
そして、花火が上がると共に銃口を胸にズラして…

だったら私達三人は犯人じゃないわね！
え？

だって私達は、花火の最初からこの子と一緒にスケートリンクにいたんだから…
そうよね蘭ちゃん？
あ、はい…

本当に最初からいたのか？このトイレからあのリンクまでは30秒もかからんし…
でも三人共一発目が上がった時にはちゃんといたよ！一発目と二発目の間は10秒もなかったし…
で？その時あなたはどこに？
リンクのそばのベンチで花火に背を向けて煙草を吹かしてたよ…火を見て馬鹿騒ぎする性分じゃないんでね…
アリバイがないのは彼だけですね…
しかしまだ証拠がない…彼と被害者の関係もわからんし…
でもあの人が寒がり屋さんって事はわかるよね？
ホラ見てよ！これから撃たれるっていうのにあの人ポケットに手を突っこんでるよ！
え…？
携帯電話!?
だがディスプレイには何も表示されとらんし…
きっと110番する前に撃たれて…
リダイヤルしてみれば？そしたらその人が最後にどこに掛けたかわかるんじゃない？
あ、ああ…
じゃあ一応…
ピッ

KIX

KIX!?
電番の欄は#が8つか…
どーせ手探りでどこかにかけようとして、焦って失敗したんですよ…

KIX…
まてよ…コレどっかで…

ねえ…せめて靴に履き替えさせてくれる?
リンクからそのまま来ちゃって…
刑事と同行してもらえるのなら構いませんよ…

そのかわり聞きたい事がありますから、すぐに戻って来てくださいよ…

ホラ、泣かないでよ頼子さん…
だって千尋が千尋が…

きっと刑事さんが犯人を捕まえてくれるって!

バカ…

あれ〜〜っ
その電話
さっきのお姉さんのと
同じだね!

まさかこの子
私を疑ってるんじゃ
ないでしょーね?
違うよ!
ちょっと
見せて欲しい
だけ!
もォーー…
イタズラしちゃ
ダメよ!

そういえば
園子姉ちゃんが聞いた
花火の音って、
本当に花火だった?
ええそうよ!
ピュウウって音がして
ドォンって
大きな音が一発…

え?

………
あれ?
園子…
携帯
替えた
の?
う、うん
ちょっと…

トリックはだいたい読めた…
ロッカールーム

だがこのトリックなら誰にでも犯行は可能だ…
それを一人に絞るにはやっぱりあの…

しっかりしてよ…
ちょっとあの事件の事思い出しちゃって…
う
いいよな泉は…

あの事故が起きたクレー射撃に来てなかったんだから…
私、あの日カゼで寝込んでたのよ?
ラッキーみたいに言わないでくれる?

私、今日でクレー射撃やめるわ…
なんか呪われてるって感じだし、成田君みたいに銃の暴発で死にたくないし…

!?

おい、無駄話はそれまでだ戻るぞ…
ああ…
そうか…そうだったんだ…

だから
あの人だけ
仲間外れ
だったんだ!!

でも
まだ証拠が
ない…
あのメッセージ
だけじゃあの人を
追い詰める事は…
ん？
黒ずんだ
赤い二つの
点…

まさか!?
え？
まさか!?
お、
おい…
まさか!?

!!
あった！
これだ!!!

FILE.3 手探りの言葉

見つけたぜ!!
決定的な証拠ってやつを!!
これで犯人を…
あの人を追い詰める事ができる!!
よーし早く事件の真相をみんなに…
カ
あ…
ハハハ…

ーったく！
毎度毎度
現場を遊び場
みてーに…
テー…
警部！

スケートリンクと
このトイレの間にある
ゴミ箱の中から、
犯人の物と
思われる
コートを
発見しました！

よーし、
犯人を目撃した
園子君に見せて
確認を取れ！
わかり
ました！

あ…
ちょっと
皆さん！
どこ
行くんですか
？

スケート靴を
返しに行くんです…
事情聴取は
その後でも
いいでしょ？
僕達には
犯行時刻に花火を
見ていたという
アリバイが
あるんですから…

そう…
花火に
興味のない
織田君以外の
アリバイはね…

よかった…私
花火見といて…
いつも通り
パスしてたら
疑われるところ
だったもの…
泉…

おーし、まずは
おっちゃんを
この麻酔銃で
眠らせて…
フッ…

もうよしましょうや
無駄な腹の
探り合いは…
この辺で
ハッキリさせて
おきましょう…
もう答えは出て
いるんだから…
え?
ま、まさか
おっちゃん…
おお!
わかった
のかね
犯人が!!

ええ…
今度こそバッチリ
わかりました!!
このトイレで
千尋さんと
待ち合わせ、
ショットガンで
彼女を射殺した
犯人が…
織田國友さん、
あんただと
いう事がね!!

おい
待ってくれ!
オレは…
フン
相手が
悪かった
な…

死体のそばに
あんな血文字を残し、
ダイイングメッセージに
見立てたつもり
だろーが、
私の目は
ごまかせ
ない!!
だまされとった
じゃないか、
思いっ切り…
あれは犯行後に
あんたが書いた文字だ!
心臓を撃ち抜かれて
即死した人間に文字は
書けませんからねぇ…
そして今の
佐野泉さんの
発言で
全てはっきり
しましたよ…

いつも花火をパスする
佐野さんを利用し、
犯行を花火が上がる
時刻に実行して
殺人の罪を、
アリバイがない彼女に
なすりつける
算段だったって
事が…
血文字を「佐野」の
「S」にしたのも
彼女の銃を使ったのも
そのためだったって
事がねぇ!
S

だがあいにく
彼女は花火を
見に来てしまい、
アリバイがないのは
あんただけになり
計画はもろくも
崩れ去ったん…
だ…
プス

トトトト
ザン

…と思わせて
織田さんに疑いの目を
向けさせ…
ドサ

まんまと自分は
容疑者から外れるのが
犯人の真の狙い
だったんですよ…
そうでしょ?

犯人の…
佐野泉さん？
い、泉…？
……

そう…佐野さん…
あなたが自分の銃を凶器に使ったのも、
あの血文字も
我々をミスリードするためのもの…
犯人が自分の銃や
自分を示すイニシャルを、
現場に残すわけがない
という心理を、逆手に取った
トラップだ！

あなたが銃口を
口から胸にズラしたのは
あの血文字にある程度
真実味を持たせるため…
頭が吹っ飛んだ人間に
文字を書かせるバカは
いませんからね…
…何
言ってるの？

忘れたの？私は蘭ちゃんと一緒に花火を最初から見てたのよ？
犯行が花火が上がった時だっていうのなら私には絶対無理よ！

本当に花火が上がった時に殺人が行われていたのならね…
いい加減にしてよ！園子ちゃんが言ってたでしょ？花火が始まった時、犯人はまだトイレ内にいたって！

いや…園子君が聞いたのは花火の音じゃなく銃声だ…
ハハ…バカね…
いくらなんでも銃声と花火の音を間違える訳が…

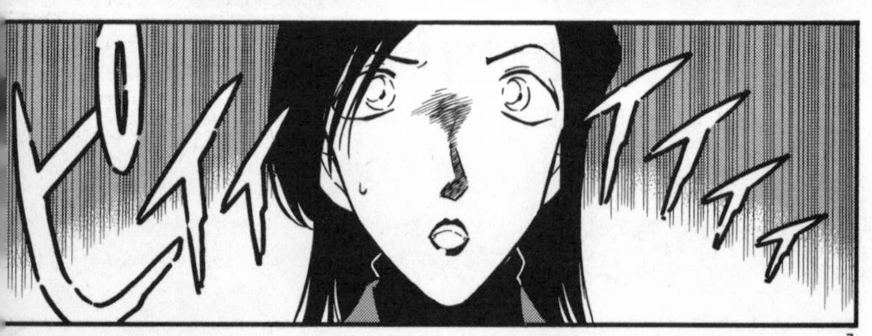
ピュイイイイイイイ!

どーーん!
え？

どーお？花火が上がった音に聞こえた？
あ、ああ…

し、しかしどーやって？
これだよこれ！

ご、
五円玉!?

それを唇につけて口笛を吹くと、音が大きくなってカスレて、花火が上がる時のピュウウって音によく似てるんだ！
ピュウウ…

そういえばあんな音だったような…
だよねおじさん！

ああ…銃声だけなら花火とは思わんだろーが、一緒に聞き、しかも花火の時間が迫っていたあの状況ならそう錯覚しても無理はない…
その証拠に園子君は、その時の花火の音は一発だけだったと言っている…

ここの花火は赤青黄の三連発からスタートする…
本当にそれが花火の音だったなら、三発聞いているはずですからね…

そうだったんだよね？園子姉ちゃん！
う、うん…

だが偶然園子君がトイレ前にいたからよかったが…
彼女の他にも二、三人いたそうです…
スケートを履いたまま入れるのはこのトイレだけ。清掃中の札をかけておけば一人や二人待っているのは予想できますよ…

つまり佐野さんは千尋さんとこのトイレ内で待ち合わせをし、清掃中の札で人払いをして入口のドアに鍵を掛け、ロッカーから出しておいたショットガンを持って千尋さんが待つトイレに向かったんだ…
そして銃を突きつけ、花火が上がる1分前ぐらいまで待って五円玉で例の音を出して射殺した後血で文字を書き、本当の花火が上がる前に急いで蘭のいるリンクに駆けつけたというわけですよ！
トイレ清掃中

花火に興味がなく、アリバイが無い事が予想される織田さんに…
その罪を着せるためにね…
おい…本当なのか泉？
泉？
…そうね…確かにそうやれば私にも人殺しができるみたいね…
でも何でそれが私なの？

そのトリックなら他の三人でもできたはずじゃない!!
い、泉!!
どこの誰だか知らないけど、
これ以上変な言い掛かりをつけるなら…

K(ケー)I(アイ)X(エックス)…

え？
これ、何(なん)だかわかります？

あ、ああ…千尋(ちひろ)がデタラメに携帯(けいたい)に入(い)れた文字(もじ)でしょ？
いや…デタラメじゃない…

恐(おそ)らく彼女(かのじょ)はあなたに口(くち)を銃口(じゅうこう)で塞(ふさ)がれている時(とき)に、ポケットの中(なか)の携帯(けいたい)に残(のこ)したい文字(もじ)を入(い)れ、適当(てきとう)に▷ボタンを押(お)し続(つづ)けて発信(はっしん)させたんですよ！
後(あと)で我々(われわれ)がリダイヤル機能(きのう)を使(つか)ってそれを見(み)つけるのを見越(みこ)してね…

発信(はっしん)させたのは我々(われわれ)が到着(とうちゃく)する前(まえ)に他(ほか)から着信(ちゃくしん)した場合(ばあい)、文字(もじ)が消(き)えてしまうのを防(ふせ)ぐためでもあり、
あなたに見(み)つかって隠蔽(いんぺい)されないためでもある…

そうか！だから電話番号(でんわばんごう)の欄(らん)が全(すべ)て#(シャープ)だったんですね！▷ボタンを押(お)し続(つづ)けると#(シャープ)に変(か)わりますから…
お、おい…だとするとその携帯(けいたい)に表示(ひょうじ)されている文字(もじ)は…

被害者が殺される間際に残した…
本当のダイイングメッセージという事か!?
KIX

フン…それが何だっていうのよ？KIXが私の名前だとでも言うの？
千尋さんが言ってたそうじゃないですか…

あなた達の中でその織田さんだけが仲間外れだと…
だから―それがKIXと何の関係が…

殺されたのは伊丹さん…後ろの二人は小松さんと三沢さん…
そしてあなたの名前は佐野泉…まだわかりませんか？

ではこう言えばわかるかな？
確か半年前に事故死したあなた方の友人の名前…
成田さんでしたよね？
!!

そ、そうか！空港だ!!
織田さんを除いた皆さんの名前、みんな空港の所在地です!!
だが佐野市に空港なんかあったか？
…ですよね…それにKIXとの関わり合いも何がなんだか…
あ…
KIX
あ〜〜〜っ!!

そう…KIX、通称KIXは関西国際空港のスリーレターコード！
大阪の泉佐野市にある関空の事を意味しているんです…

おわかりかな？佐野泉さん!!

で、でも…
それも犯人が私を陥れるために残したメッセージかもしれないじゃない!!
ホー──…死体の顔の横に血文字でSなんて書く犯人があんなわかりづらいメッセージを?
そ、そうよ!
そうじゃないって言い切れる!?

では、これを見せればあなたにも納得してもらえるでしょう…
被害者の左足のつま先あたりの床にある妙な血痕を…

え?
血痕?

ん──?

こ、
これは!?

そうです…それは佐野さんが血文字を壁に書き残した時に…
思わず触れてしまった彼女のスケート靴のブレードの先の跡…

それについた血が逃走した時の廊下に残っていたという事は…
彼女はまだ気づいていないはずだ…

自分のスケート靴のブレードに千尋さんの血痕が、
付着しているとはね…
い、泉…
…なるほどね…空港所在地の名前か…
未だに親のスネかじって旅行しまくってる…
お嬢様の考えそうな事ね…

じゃあ泉…やっぱりお前が千尋を…
でもでも…どーして…
成田君よ…

成田？
そう…これは千尋のせいで自殺した成田君の敵討ち…
じ、自殺？
だってアレ事故だったたって…
フラれたのよ成田君…あの日千尋に…そして彼は自分で引き金を引いた…
それを銃の点検中に起きた事故と誤解して処理されたってわけ…

あんな女よしなって言ったのに彼、言うだけ言ってみるって…
で、でもそれで千尋を殺すなんて…
ただフラれて自殺したのならこんなバカな事しないわよ…
歯止めがきかなくなったのは、誰かさんが二股をかけている事がわかったから…
二股？
ええ…あの日カゼで寝込んでた私の所へ射撃場から成田君が電話してきたのよ…

「もうダメだ…親友に裏切られた…千尋は織田とできてたんだ…わけわかんないよ」って…
絞り出すような涙声でね…
え？だって織田はあの頃泉と…
そうよ！この男は成田君の気持ちを知りながら二股をかけて千尋と一緒に私達の事をあざ笑って…
嘘だ…
あの女がよく使うその場しのぎの出まかせだ…
じゃー何であの日成田君にそう言ってくれなかったの？彼、あなたに聞いたけどうわの空で相手にしてくれなかったって…
ああ…情け無いが成田の言葉は耳に入って来なかったよ…

あの日カゼで寝込んでいたお前の事が気になっていたからな…

…お前に殺されるのはオレの方がよかったのかもしれないな…
………
じゃあ後は署の方で…
TOILET
ねぇ…

信じてていーい？
これからもずっと…
どんなに離れていても…

ああ…心配するな…
オレは執念深くてしつこい男なんだ…

ありがと…

ねえ信じてていーい…
これからもずっと…

どんなに離れていても…
はぁ〜
何だ何だ？若い娘がジジくせぇ…

なによ──人の気も知らないで!!
ピリリ…
あ、電話…

ピリリ!!
ピリリ!!
ピリリ!!

あ、はい！
もしもし…

勝ちました園子さん！冬季大会優勝です!!
いやーしかし世界は想像を超えた強者が…
バカ!!
ハッ
ハッ
バカバカバカァどーしてもっと早くかけてくれなかったのよ？電番送ったの二か月前よ!!
あ、スミマセン…用もないのにかけるのはどうかと思いまして…
あのねぇ…
それより園子さん日本ではカゼがはやってるそうですが…
短いスカートなんかはいて出歩かないでくださいよ…
はいてないわよ～今日だって超ロングなんだから…
やっぱり！園子京極さんのためにもう一台携帯買ったみたいね…
…だね…
二人だけの電話かー…
いーないーな……
………
その数日後セーターのお礼も兼ねて蘭に携帯電話を贈った…
最初は不思議がっていたがまんざらでもない様子だったので…
ヨシとしよう…
♪

ファイル
FILE.4
くもやしき
蜘蛛屋敷
TOTTORI

鳥取県
変やなァ…

同じトコぐるぐる回ってる気ィすんぞ…
なぁ平次ィ…
ひょっとしてアタシら道に迷たんとちゃう?

さっきから人も車も通らへんし携帯忘れてしもて連絡とられへんしおまけにバイクはガス欠や…
やっぱりタクシーで来た方がよかったんと…
じゃかァしい!!!
「この辺の地理なら任しとけ」ゆうて無理矢理バイクの後ろに乗って来たんは自分ちゃうんか? あ――ん!?
ギクッ

でも、どーすんのん？
今日の夜までに
その武田さんっちゅう家に
来てくれって手紙に書いて
あったんやろ？
ああそうや！
連絡先の電番も書かんと、
変な事件の依頼書と
金を送りつけて来よった
そのアホに、金返しに
行かなアカンのや…

ついでにその事件も
解いたろ思てんけど
陽ィ暮れて来たし…
こら野宿でも
せな…
カァ
カァ
の、
野宿？

イヤや！
テントも毛布もないのに
こんな森ん中で…
カゼひいたら
洒落にならへん
やん！
持って来た着替えを
ぎょーさん着込んで、
二人でひっついて寝たら
一晩ぐらいなんとか
なるやろ…

え？
二人で
ひっついて…

3

そんかわり、
オレが
寝てるからゆうて
やらしーマネ
すんなや…
そら
女のアタシの
セリフやんか!!
コラコラ
ケンカはいかんで
ござるよ…

え？
ガサッ
行くで和葉、見んかった事にしよ…
そ、そやね…
あ、待ってください冗談ですよ、冗談！
私はロバート・テイラー、アメリカ人！
日本の自然をこよなく愛するカメラマンです！
ロバート・テイラー(26)
カメラマン
日本語ペラペラやん…
パチもんくさい外人や……
今もこのなつかしい森を撮っていたんです！
ここに来るのは武田さんにお世話になって以来でしたから…
武田？
あんたその家知ってるんか？
ええ…これから伺う予定ですけど…
なんや、オレらと同じやんかー！
ほんなら案内してもらえます？
車で来てはるんでしょ？
いえ、タクシーは途中で降りました。
風景を歩いてじっくり味わいたくてね…
そうしたら夢中になり過ぎたようで…
…まさか道に迷たんとちゃうやろな？
でも、あなた達も武田さんの家に行くのなら私も一緒に…

…野宿で決まりみたいやな…
え～～～イヤやイヤや！何とかできひんの平次～～～？
？

しゃーないやろ、誰も通らへんねやから…
ブオオオ

あ、車…
おーーいちょーー待てーーー!!
ブオオ…

待てっ……
ちゅーとるん…
じゃーーー!!!
ガーン

おっ！止まりよった！

ブオオ…

ガッ

何しやがんだてめぇ〜!!!
スマンスマンまさかホンマに当たるとは…

え?
あ…

あーきさまという お前は〜〜!?
あらー服部君じゃない!!
ちゅう事は…
おるおる!金魚のフンみたいにくっついて来てるで!
蘭ちゃん久し振りやなー!
なんかヤな予感したんだよな…
なんやて?

あんたも
事件の依頼受けて
武田さんのトコへ
行くやとォ!?
ああ…
ガタン
ゴトン
だが、オレの所に
来た依頼は
お前のとは違って
正式なもんだ!
依頼主は
武田家当主の
武田信一さん!
依頼料もちゃんと
前金で50万、
たんまりもらってるし、
今日だって…
ちゃんと
末の弟さんが
迎えに来てる…
武田勇三(35)
武田家三男
でなきゃ、鳥取の
こんな山奥まで
わざわざ来るかよ!
ほんなら
何なんや、
オレん所に来た
この依頼状は?
探偵を
わざわざ二人も
呼ぶ意味ないし…
この辺に
武田っちゅう家が
他にもあるんか…
やろか…
おい
ちょっと
見せてみろ!
次の土曜、
陽が傾く前に
絡繰峠の武田家に
来られたし…
さもなくば
また生きた人形が
蜘蛛の餌食に
なるであろう…
蜘蛛の餌食?
そら確かに
ウチの事だがな…
えげつない事件が
続いたけえ
この辺の者はみんな
ウチの事をかーな具合に
呼びよるんですわ…

「絡繰峠の蜘蛛屋敷…
祟られたァなかったら側に寄らんこったわい」ってねぇ…

か、絡繰峠の…
蜘蛛屋敷!?
まぁ、ただの噂ですけぇ、気にせんでごしないな…
はぁ…
でも変だなぁ…私が世話になった頃はそんな噂ありませんでしたけど…

ああ…外人さん、あんたの事は兄から聞いとりますわ…夏休み中美沙ちゃんに看病されとったって…
ええ…だから今日は彼女に三年前のお礼を言うために来たんです…
美沙さんどうしてます?
………

え?
三年前に
死んだ…?

美沙さんが
どうして!?
あなたが
出て行ってから
二、三日たった後、
人形倉の二階で
首を吊って…
武田陽子(33)
武田龍二の妻

自殺
ですか…
ええ…
そしてその数日後、
今度はお義姉さん…
美沙ちゃんの
お母さんまで
同じ場所で首を…

な、なんで
また…
さぁ…
わかりません…
それにそれだけじゃ
ないんです…

ま、まだ
あるんですか?
はい…つい先日
お義兄さんがお世話に
なっていた
根岸さんという方が…

今度は納屋で首を吊ってたんです…
私達、家の者が出払っていた昼間の内にひっそりと…
その人はこの家によく出入りしていたんですか？
ええ…お義兄さんは人形師、その人形の販売と運搬を担当されていたのが根岸さんです…
いつも通り出来上がった人形を取りに来られたんだと思うんですけど…
その根岸さんの件ですよ…兄があなたに解いてほしい事件は…
はあ…
武田龍二(38)
武田家次男

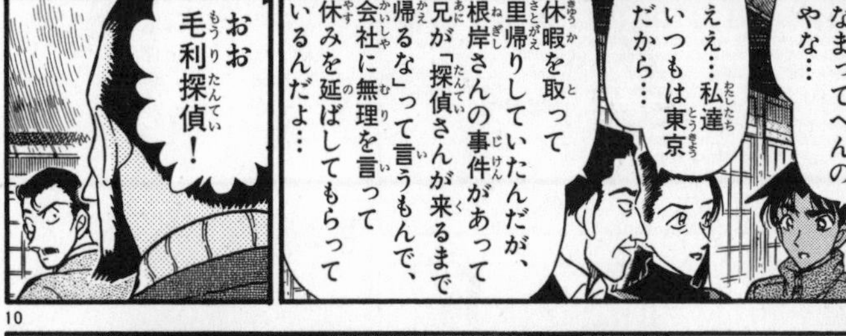
あんたらなまってへんのやな…
ええ…私達いつもは東京だから…
休暇を取って里帰りしていたんだが、根岸さんの事件があって兄が「探偵さんが来るまで帰るな」って言うもんで、会社に無理を言って休みを延ばしてもらっているんだよ…
おお毛利探偵！

御依頼しとった武田信一です！わざわざ東京からこんな山奥まですまんこってすな――！
いえいえ…
武田信一(45)
武田家長男・人形師

そんでねぇ探偵さん…ぶっちゃけた話、ワシは根岸さんは殺されたと…
しかも犯人はこの家の者だと思っとるんですわ…
は？

そんなこってすけぇ、もし犯人がわかったらワシだけに教えてつかんさい！
後はこっちでうまい事処理しときますけぇ…
は、はぁ…

それより後ろの四人はみんなあんたの子ですかいな？確か連れは二人だけって聞いとりましたけど…
いやー娘の友達がどーしても来たいってきかなくて…

あ、信一さんお久し振りです！
おおロバート君さーしぶりだなぁ…
今日は三年前にお世話になったお礼に伺ったんですけど…
まーあがんないな！前にあんたと仲よーしとった姪の紗栄と絵未も丁度ウチに…
おおそこにおったか！
紗栄ちゃんと絵未ちゃん！
大きくなったねぇ…

人殺し…
武田紗栄（９）
龍二と陽子の娘（姉）
武田絵未（９）
龍二と陽子の娘（妹）

え？

また殺しに来たんだね…
来たんだよ…
怖いよね…
怖い、怖い…

コラあなた達！何て事言うの⁉
ダッ
きゃーママも怖ーい！

ゴメンなさいね…
い、いえ…
スッ
武田智恵（71）
武田三兄弟の母

グツ
グツ
グツ
ワハハハハ

ねえママ――
何で紗栄と絵未だけお魚ないの――？
何で～～？
仕方ないでしょ？
人数分しか買って来なかったんだから…
え？
じゃーママのあげるから、二人で分けなさい…
……………
やだー
一匹全部がいーいー…

ほんならコレ…
なんや和葉！
魚、残すんやったらもろたるわ！
……………
？
何？

あれ？どこに持って行かれるんですか？
大奥様んトコです…
根岸さんの事件があってから…
「祟りじゃ祟りじゃ」って部屋から出ならんけ運んどるですに…
塩谷深雪(26)
家政婦
よっしゃ！
ワシは作りかけの人形を仕上げに行かかいな！
なら毛利さん！
明日から念入りの調査よろしく頼みますけぇ…
はいは───い!!
おい勇三、お前兄さんの手伝いをしなくてもいいのか？
ま──待ちないな…
ヒルク
あとコレ一杯だけ…
あのー車のキー貸してもらえます？ちょっとこれから美沙さんの墓参りをしたいので…
え？こんな時間に？
今行くと丁度、墓の途中の山あいから月と星がのぞいてる頃なんで…
月と星かー♡アタシも一緒に行ってもええ？
もちろん！
蘭ちゃんも行かへん？
行く！

ブロロ…
ほんなら なーーー!

じゃー私、この子達とお湯をいただいて来るから…あなた、マキを絶やさないでね…
わかってるよ…

大奥様?

大奥様?

南無妙法蓮華経…南無妙法蓮華経…
晩ご飯、ここに置いときますよ…

ピシャ
なあ、服部…

やっぱおかしいよなあの二人…
そやな…

わーー
きれーやわァ!
ステキー♡
ホンマ来てよかった…
え?
ポタ

おーい
兄貴ーー!
兄貴〜〜〜!
どーした
勇三?
兄貴がおらんで!
仕事場にもどっこにも!
なんやと!?
信一さーん!
どこだー?
おったら返事せぇー!

ねぇ、あの倉の二階の窓いつも開いてるの？
いや…あそこは二人も首を吊った場所だから、気味悪がって誰も近づかなかったはずだから…
お、おい…
ダッ
ダダダッ
ダメだ！中から鍵が掛かってる！
おい誰か斧持って来いや！
ドゴッ
ドカッ
く、蜘蛛じゃ…
蜘蛛じゃ…

蜘蛛御前の祟りじゃ〜〜〜!!!

FILE.5 恐怖を見た

蜘蛛じゃ…
蜘蛛じゃ…
蜘蛛御前の崇りじゃあ!!!
蜘蛛御前?
と、とにかく兄を早く降ろして救急車を…
いや…呼ぶんは救急車やのうて警察や…

もう冷たなってる…
だいたい死後一時間っちゅうところやな…

な？
なに!?

何言っとるだ？早やそっから降ろさな…
入ったらアカン！
ここは殺人現場かもしれへんのやからな…

さ、殺人？
オレんトコに手紙が来たんや…
「今晩ここでまた生きた人形が蜘蛛の餌になる」っちゅう殺人の予告めいた手紙がな…

「また」っちゅう事は前にも事件があったっちゅうこっちゃ！
そやから今晩の殺人止めて、前の事件も解いたろ思て来たんやけど…
コト

まんまとやられてしもたわ！
き、君はいったい……？

服部平次!!
関西やったらちょっとは名の知れた探偵や!

た、探偵?
ああ聞いた事あるがな!大阪ん方に、がいに頭の切れる若きゃあ探偵がおるっちゅう話…
でもええだかいな?そのボウズも部屋ん中に入っとるで…
ん?
こ、こらボウヤ!
ああ構へん!
あのボウズはオレの助手みたいな者やから…
ハ…

ん?
画ビョウ?
表面はサビてるけど針は新しい…抜け落ちたばかりって感じだな…
でも何でこんな所に…

とにかく！早よ警察呼んでくれや！
あ、はい！
タン
タン

けど、これが殺人っちゅーなら、犯人はどがな方法でこっから外に…？
あの小窓やろうな…きっと縄かなんか使て逃げたんや…

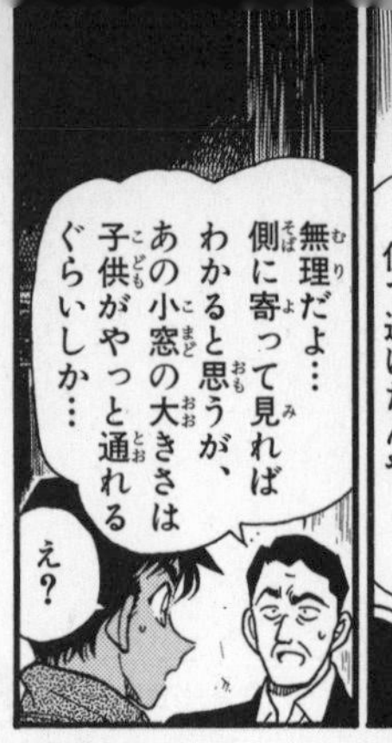
無理だよ…側に寄って見ればわかると思うが、あの小窓の大きさは子供がやっと通れるぐらいしか…
え？

なに!?
ちょー待て！オレらはこの部屋の鍵が中から掛かっとったから、斧で扉壊して中に入ったんやで？
そやのにたったイッコの出口のあの窓から人が出られへんちゅう事はや…

こら人間にはできひん殺人…
密室殺人っちゅう事に…
御前様だがな…

昔、この峠に天女のような美しい女がいてね…峠を通る旅人を呼び止めては謎かけをしていたんだ…

「天国はあると思うかえ？」「それはどんな所かえ？」「行ってみたいかえ？」とね…

旅人は皆、その女の不思議な色香に惑わされ「はい」と答えてしまい、その女に手を引かれて森の奥に消えて行方知れず…

その噂を聞きつけたある人形師が一計を思いつき、人間大の絡繰人形を峠道に置いて隠れて様子を見ていると…

案の定その女が現れ謎かけをしたが、相手は人形答えはしない…

そうしている内にみるみる女の目は赤く血走り、口は裂け、手足は八つに分かれて生臭い匂いと共に…

見るも恐ろしい大蜘蛛の本性を現しその絡繰人形に襲いかかったんだ…
人形師はその有り様を見るやいなや、持って来ていた火矢を何本も何本も射かけた！
大蜘蛛は炎に包まれこの世のものとは思えぬ奇声と共に森の中に逃げ込み、
人形師がその後をつけてみると、大蜘蛛は子蜘蛛と共に自分の住処で焼け死んでいたそうだ…
そして大蜘蛛の祟りを恐れた村人がその住処に祠を建て「蜘蛛御前」として祭り、この峠を「絡繰峠」と呼ぶようになったと言い伝えられているんだよ…
なんやただのしょーもない昔話やんけ！
何でそれで祟られなアカンねん？
その蜘蛛の住処があったと言われとるのが、この倉が建っとる場所だがな…
ほ、祠壊したんか？
ああ…人形師だった父の跡を継いだ兄が父の死後、村人の反対を押しきって敷地を広げて建てたんだ…
「そんな蜘蛛が化けて出たらワシの人形で退治してやる」って…
倉が建った三年後だったよ…
兄の娘の美沙ちゃんと兄の妻の絹代さんが相次いでここで首を吊ったのは…

二人共発見が遅れ、
体じゅう蜘蛛の巣まみれになった…
無残な姿でね…
そしてその三年後、
兄が世話になっていた根岸さんが納屋で…
今度は糸に絡まって…

糸？
ああ…首を吊った根岸さんの手足に絡まっていたんだ…操り人形に使う釣り糸が…
その兄と同じく…
まるで蜘蛛の糸のようにね…

…なるほど…だから絡繰峠の蜘蛛屋敷ってわけか…
ああ…誰かがその祟り利用して、この殺人ごまかそ思てんのや…
そういえば今、ロバート達が行っている墓の辺りが、昔、蜘蛛御前が出没していたといわれている場所でね…
え？

ま、
まさか…!?
おい!その墓どこや!?案内せぇ!!
あ、案内しろったって墓までは10キロ近くあるんだよ?
車はロバートが乗ってったあのトラックだけだしなァ…
どーすんのや?和葉携帯持ってへんし…
携帯…?
そーいや先週蘭に携帯を…
ダッ
お、おい!
9
いやそーじゃなーて今度は信一さんが首を…
くそっ…家の電話は使用中…オレの小型携帯は電池切れ…
残るは…
ガラッ
おいおっちゃん!!
携帯貸してくれよ!!おい!!
はい!

携帯電話！どこにかけるの？
か、和葉帰っとったんか？
ハァ
ハァ
どーしたん？息切らして…
君達が出かけた所が昔話の曰くつきの場所だと教えたら、血相変えて飛び出してね…
え？心配してくれてたん？
アホ！そんなんちゃうわ！
急に雨が降って来たから、早めに戻って来たんですよ！
この辺の山道はよく土砂崩れが起きますから…

ねえねえどんな昔話だったの？
聞かない方がいいと思うよ…

ちょっとあなた！何なのこの騒ぎ…
ああ…
実はねぇ…
ふぁ？

ゴロ
ゴロ
ええっ!? 信一さんが首を吊った!?

また あの倉の二階で!?
本当なの あなた!?
ああ…扉に鍵を掛けてね…

この少年は、兄が誰かに殺されたと言うんだがね…
それで? 警察は呼んだんですか?

ああ…今 深雪さんが電話を…
大変だわ!
ダダダ

この雨で土砂が崩れて明日にならんと警察来られんって…
ええっ!?
しゃーないな…
ロバートさん? あんたのカメラ貸してもろてもええか?
あ、はい…
何すんのん? カメラなんか…

オレらで初動捜査を済ませるんや！
夜が明けるまで待ってられへんからなァ！
オレらって…？
そ、そんなん決まってるやろ？
オレとこのオッサンとでや！
なあ？
じゃあ皆さん、明日警察が来るまで部屋で休んでいてください！
くれぐれも勝手な行動はされないように！
ポツ
ザー
ザー
うひゃーこりゃまた派手な死に様だな…
あれ？電気が点かねー…
カチカチ
三年前から使ってなかったから、ずっと切れたままなんだってさ！
何でこいつがいるんだ？

ザー
ザー
あれー
おっかしー
なーー…

どー
したん？
携帯の
ストラップに
ついてる
マスコットが
ないのよ…
車に乗る前は
あったと思うん
だけど…
それやったら
車ん中なん
ちゃう？

はー
じゃあ捜すの
明日にするしか
ないなーー…
………

ほんなら車が
停めてある納屋に、
今から捜しに
行ってみる？
勇三さん、
ロバートに
返してもろた車の鍵、
広間の机に置き忘れ
とったし…
ほらアタシ
ペンライト
持ってんねん！

で、でも
お父さんが
部屋から出ちゃ
ダメだって…
ちょっと
ぐらい
構へんて…

………

なぁ
どー―？
あった？
ううん…
ないみたい…
あーあ…
きっと山の中で
車から降りた時、
落としちゃったんだ
サイテー…
もしかしたら
車に乗った
時かも
しれへんよ！
ホラ、
携帯落として
慌てて拾て
乗ってたやん！
きっと
あん時やで
周り暗かった
し…
………
そんな大事な
マスコット
やったん？
うん…
噂の
工藤君やろ？
そのストラップ
買うて来たん…
え？
隠したかて
アカンよ、
顔にちゃんと
書いてある！
………
ホンマ工藤君が
恨めしいわ！
蘭ちゃんにこんだけ
想われてんのに…
どこ行ってん
ねやろ？
アタシが男やったら、
そんな冷たい男から
蘭ちゃんさろうて
どっか行ってまう
とこやわ！
別に新一は
わたしの男なんかじゃ
ないって！

それに冷たくなんかないよ！
なーんかいつも見守ってくれてるみたいだし…
え？そばにおんの？
ううん…そんな気がするだけ…

確かこの辺やったなァ…納屋からロバートが車出して停めて、アタシらが駆け寄って乗ったトコ…
うん…そして納屋にマキを取りに来た龍二さんに声をかけられて…振り向いた時に携帯落として…

ア、アカン！電池切れかかってる！
単三だったらわたしのCDプレイヤーに入ってるから…
すぐに取って来るね！
ダッ
タタタ
ん？

なんやろ？
この白い玉…
バリッ

やっぱり来たね…
来ちゃったね…
見たもんね…
見た見たクモの糸…

怖いよね…
怖い怖い…

FILE.6
平次の叫び

ゴメーン和葉ちゃん！
バシャ
バシャ
コン

あったよ！捜してたマスコット！
CDプレイヤーのフタにはさまってて…
あれ？和葉ちゃん？
どこ？

あ…
和葉ちゃんのペンライト…

か、
和葉ちゃん!?

ザーー
おい
見てみ!
ザーー

死体の後頭部に
何かでどつかれた跡
あんで!
なに!?

じゃあ、
犯人は首を
吊らせる前に
後ろから殴って…

ああ…
死亡推定時刻は
午後9時前後、
丁度この信一さんが
晩飯食い終わって
広間から
出て行った
頃や…
そん時はもう、
犯人にここに
呼び出され
とったんやろな…

そしてここで信一さんと
落ち合った犯人は、彼を
殴って気絶させた後、
首を吊らせたと
いう事か…
そうや…死体に
ぎょーさん糸からめて
「蜘蛛御前」っちゅう
化け物の祟りに
見せ掛けたっちゅう
こっちゃ!
しかし
わからん
な…

犯人はその後ここから…
どーやって逃げたっていうんだ？
唯一の出入り口であるこの扉の鍵は内側から掛けられていて、細工をした様子は全くないし…
それにや、信一さんのサンダルや懐中電灯がみんなバラバラに落ちてんのもひっかかるなァ…
三年間ほったたぁったはずのこの倉の床や棚に、ホコリたまってへんのもおかしいし…
なあボウズ！
……
ああ…あの小っさい窓か…
子供がやっと通れるぐらいの大きさやゆうてたけど…
やっぱり何かあんのか？開けっ放しにせなアカンかったワケが…
いや…聞こえた気がしたんだ…

ついさっき…
蘭の声が窓の外で…
え？
あと和葉姉ちゃんの声も…
バーカ！あの二人なら今頃部屋でぐっすり寝てるはず…

おい…何だこの音…
しっ！階段の音や…
ギシ
誰か上がって来んぞ…
バ、バカな!?こんな時間にこんな所にか？
重い足取り…蘭じゃねーな…
何かを抱えてる!?
まあええ…ワケは本人に…
じかに会うて…
聞かせてもらおやないか!!

なんや家政婦さんやないか…
どないしたん？
たぶん腹減っとんなるだらァと思って…
おにぎりとお茶を…
こりゃうまそうだ♡
なら、そこに置いときますけぇ…
あ、待って！よかったらちょっと話聞かせてくれへんか？
はぁ…

和葉ちゃーん！
いるの——？
いたら返事してー？
和葉ちゃーん!!

ホー……
あなたは、三年前に亡くなった武田美沙さんとお知り合いだったんですか…

ええ…同じ病院で看護婦やっとりました…
美沙はアタシより五つ年下だったけど、性格のええ子ですぐに仲よーなって…

けど、アタシは仕事がキツゥて看護婦辞めちゃって…
美沙の紹介でここで家政婦させてもらうやァになったんです…

ホンニええ子でしたよ美沙は…
よー気が利いてやさしーし…
けど何でや？

何でそんな人が自殺せなアカンねん？
………

ひょっとしたらアレのせいかも…
え？

美沙のお父さんの信一さんが、何かの用事で病院から帰んなった時に、奥さんの絹代さんつかまえてえらい剣幕で怒りよんなったんです…

よー20年もワシをだましてごしたなァ!!!
――って…
だ、だましたって何を？
さぁ…何の事だかアタシには…
それにそん時ですよ美沙が大ケガしたんは…
大ケガ？
そのケンカ止めに入った美沙が信一さんに突き飛ばされて柱に頭をぶつけてオデコに7針縫ったんですよ！「べっぴんが台無しだ」ってみんな言っとりました…
それで美沙暗ァなって…病院休んで部屋でずっと泣いとったんです…ロバートに会うまでずっと…
ロバートに？
三年前の土砂崩れがあった日、偶然美沙が見つけたんです…
撮影中に土砂崩れに巻き込まれて、大ケガして動けんやァになっとったロバートを…
その日は他にもケガしなった人がよーけおんなって病院も満室で…
仕方なしに病院で治療だけしてここで美沙が看病するやァになったんです…
初めは大変みたいでした…土砂で口ん中切ってうまく喋れんロバートを看病するんは…
ロバートは日本語は話せたけど字の読み書きは出来んかったみたいで、美沙との話は紙にローマ字書いてしとんなったから…

でもロバートが喋れるようになってからは、ホンニ楽しそうでした…色々冗談を言いなって…
「日本料理はとてもおいしい。特に雨の日の土や砂は最高だ」とか…
「僕はある国の王子で光のような花嫁を捜しに来た」とか…

初め信一さんは厄介者のロバートをイヤがっとんなったけど、ロバートが「世話になった代金は全て払います」って言ったら急にやさしなりなって…
ケガが治ってロバートのお別れ会をする頃には、里帰りしとんなった龍二さんの家族とも仲よーなって美沙もすっかり明るゥなってました…

大奥様は最後まで外国人のロバートを気味悪がっとんなったみたいですけど…
けど、そやったらますますわからへんなァ…
ロバートが帰った二、三日後やろ？美沙さんが自殺したんは…
よーわからんけどロバートが帰って美沙、また暗ァなって…
急に姿が見えんよーになったけ、家出したでないかと思っとったら…

鍵が掛かっとった倉で美沙が首を吊っとるのを勇三さんが見つけなったんです…
そしてその数日後…母親の絹代さんも後を追うように倉で首を吊ったというわけか…
その二人が死んでから変わった素振りをする者はおらんかったか？
さあ…信一さんは涙も見せんと平気な顔して葬式に出とんなったけど…
代わりに大変だったんが龍二さんです…
え？

隣近所に響くやーな大声でわんわん泣きなって…
奥さんの陽子さんが慰めんのに苦労しとんなったみたいです…
あとは紗栄ちゃんと絵未ちゃんだらァかなァ…
ああ あの双子の女の子…
ええ…二人共ロバートとはあんなに仲よーしとったのに…
二年前二人が里帰りでこっちに来とった時、急に変な事言い出したんです…
ロバートだったんだよ…
ロバートが美沙姉ちゃん殺したんだ…
ひどいよね…
ひどいひどい…

でも美沙さんが首を吊ったのは、ロバートが帰った後だったんでしょ?
ええ…出来た人形を取りに来なった根岸さんもビックリしとんなったです…
二人が根岸さんと何か話した後、そがな事言い出したから…
何を話したっちゅうんや?
さあ…根岸さんは名前聞かれただけって言いよんなったけど…

ウーム…
その根岸さんが先日、
今度は納屋で首を
吊ったというわけか…
みんな近所の
会合に行っとって、
晩飯の仕度しに
先に帰った陽子さんが
納屋で見つけなったんです…
そん時、あんたは
おらんかったん
か？
アタシは
信一さんと一緒に、
晩飯の材料
買いにスーパーに
行っとりました…
信一さんと？

奥さんが死なれてから、
この家の財布は
信一さんが握っとんなって、
無駄な物は全然
買えんやァに
なっとりました
から…
………
ところで死体を
吊っていたロープとか、
絡まっていた糸とかは
この倉にありますか？
ええ…
糸ならこの倉ん中に
操り人形に使う釣り糸が
よーけありますよ…
ロープは
納屋ん中
だけど…
行って
みなるかえ？

しかし
ひでー雨
だなぁ…
ピシャ
なぁ
工藤…

お前
わかったか
犯人？
いや…犯人も
密室トリックも
さっぱりだよ…
信一さんが
広間から出た後の
みんなの行動から
すると…
その後
すぐに納屋に
車を取りに行って
蘭達と出かけ、
倉に一度も近づかなかった
ロバートは犯行不可能…
あの双子と風呂に入っとった
っちゅう陽子さんと、
オレらと広間の片付け
しとった家政婦さんと、
部屋にこもっとった
あのバァさんも
シロやな…
ああ…
お経が広間まで
聞こえてたし…
あの体で大の大人を
吊り上げるのは無理だ…
一番何でも
できそーなんは
風呂焚いとったっ
ちゅう龍二さんと…
信一さんを捜して
家中を回っていた
勇三さんの二人…
けど、
何か
引っ掛かるんや…
現場見た時から
なんやモヤモヤと…

糸…
だろ？

そやそや
それや!!
なんで犯人は糸使て、
あんなややこしいマネして
祟りに見せなアカン
かったんや?
せっかく密室に
したんやで…
あんなマネ
せーへんかったら、
信一さんは
自殺したんやないかと
思てくれるかも
しれへんのに…

それに、お前の所に来た
殺人を予告するような
例の依頼状も気になるな…
ああ…
あれが犯人からの
物やったとしたら、
オレをナメてんのか
挑戦してんのか…
この事件…
何かイヤな物が
裏に流れていそう
だぜ…
そやな…
早よ解かな
アカンみたいや…
これ以上
犠牲者を
出さねー
ためにも…

えっと…
ロープは…
うっ
うっ…
え?
うっ
うっ…
お、おい
誰だそこに
いるのは!?

ら、
蘭!?
和葉がおらんようになったア!?
ホンマか!?
うん…彼女のペンライトだけ落ちてて…誰かにさらわれたと思ったら、わたし…パニクっちゃって…
わたしのせいで和葉ちゃん和葉ちゃん…
とにかく手分けして捜すんだ!!
シュルル
和葉ァーどこやーー!?
おーーい!!
和葉ちゃーん!!
シュル
シュル

おい いたか!?
ううん どこにも…
………
どーした 服部!?
倉の扉…
開いてんで…
タッ
ガラ

16
か、
和葉ァ!!!

FILE.7
平次の怒り

か…
和葉…
おい しっかりせぇ 和葉!!
和葉!!
和葉ァ!!!

へ…
いじ…?
か、和葉…
ア、アタシ…どーしたんやろ?
倉の前で蘭ちゃん待ってたんやけど…
急に気ィ遠なって…
黙っとけ!今、糸切ったるから…
か、和葉ちゃん!?
チキチキ…
心配せんでええ!糸で吊るされとっただけみたいやから…
ゴメンね!ゴメンね!
よく捜しもしないで、和葉ちゃんにあんな事頼んでこんな目にあわせて…
ほんならマスコットは…
ゴメンあったの…CDプレーヤーのフタにはさまってて…
ホントにゴメンね…わたしがちゃんと捜していれば…

よかったやん見つかって…
もうなくしたらアカンよ…
うん…

おい服部…
ああわかってる…
オッサン…和葉頼むわ…
おい…どこ行くんだ？
わからんか？犯人は、さっきまでオレらがおったこの倉に和葉吊って、オレらの盲点つこ思てたんや…
オレらがこっから出た後、和葉ここに運んで体に糸絡めて、後はあのロープに首引っ掛けたら「祟り」は完成や…

それを途中で止めなアカンかった理由はイッコだけ…
この倉に駆け寄るオレの足音に、犯人が気イついて慌ててこっから離れたから……
ちゅー事はや…犯人はまだこの倉ん中に…

おるっちゅう
こっちゃ!!
ダッ
ダダダッ!!
ザッ

おい
工藤…
オレの推理…
間違うてるか?
いや…
どこも…
ほんなら
犯人の面…
拝まして
もらうで!!

!?
おい
おった
か?
いや…
こっちにも
いねぇ…
おかしいなァ…
オレらがこの倉に
来てから3分も
たってへんのに…
一階の入り口は
オレ達が固めてたし
一階には隠れられる
場所はない…
逃げられんのは
あの小っさい窓
ぐらいやけど…
ホンマに
あるんやろか…
こんな短い時間で
あっこから出られる
方法が…
……
そう思うしか
ねーみてー
だな…

ええっ!?
今度はあの大阪の女の子が襲われた!?

い、いったい誰にどーして!?
知らんわ!
和葉、今部屋で横になってるけど、落ち着いたら何か思い出すかもしれへんで…
あんたらの中の誰かの顔をなァ…
ドン
あなた達にここに集まってもらったのは、もう殺人を起こさないためでもあり、
皆さんのアリバイを確認するためでもあるんですよ…

アリバイっていったって…
私達はずっと部屋で寝ていたから…
あなた達が起こしに来るまでね…
僕も同じく…
ワシも部屋におったがな…
寝とりゃーせんかったけどな…
あなたはどこに?
捜している時姿が見えませんでしたが…
家の外の方を捜しとったんです…

つまり、みんなアリバイがないっちゅうわけやな…
そ、そんな……
ねえ、勇三さんがいないけど…
ああ…勇三なら仕事場にいるんじゃないか?

三年前っていうとあの事件のあった…

ええ…丁度ロバートと入れ違いに帰って来たっちゅうこってす！

けど、部品作りや修理やらは、まだやらせてもらえんかったですわ…

兄貴の絡繰人形は一体100万、修理費70万も取りよりましたけな…

ねぇ、あの大きな人形な──に？
ああ…蜘蛛御前の操り人形だがな…
お父ちゃんが生きとる頃は祭りがあるたんびにあんぐらいの人形使って蜘蛛御前の人形芝居をやりよんなったけど…
あがなごっつい人形、動かせる者がだんだんおらんやァになって止めちゃったたに…
積んであるあの箱は何や？
根岸さんがあの日持って行くはずだった人形だがな…
根岸さんが死になって人形が一体足らんのに兄貴が気づいてなァ…お客さんの催促の電話が直にウチに来るやァになったけ、もう一体作りよったたっちゅうこった！
とにかく皆さんが集まっている部屋にいてください…
一人でいるのは危険ですから…
よっしゃ今の内や！
修理費が異様に高い人形…
にもかかわらず、十何回も修理頼む客がおって…
仕掛けがややこしない操り人形の方が高いっちゅう事はや…
恐らく中身は…

麻薬!!!
パカ
絡繰人形の方は頭にしか入れられへんから、値段が安いっちゅうわけや!
パカ
これでわかったな…信一さんが探偵を呼んでこっそり犯人を割り出そうとしたわけが…

お、見てみ、アドレス帳や、電番ぎょーさん書いてあるで!
仕事場にあるって事は信一さんの知り合いか…
どっからかけてみる?
そりゃーもちろん…
病院…
だよな…

ザー
ザー

なるほど…だいぶ見えて来たな…三年前から始まった事件の全貌が…
後、わからんのは、密室トリックと…和葉が何で襲われなアカンかったかやけど…
紗栄〜〜〜絵未〜〜！
どこなの〜〜〜？
え？
何やどないした？
トイレに連れて来た娘二人がいないのよ！
あ…
コラ！終わったらトイレの前で待ってなさいって言ったでしょ？
だって臭いがしたんだもん！
したした変な臭い！
きっとカマドでクモの子が焼けてるんだ…
焼けてるんだよ！
おばーちゃん言ってたもんね…
言ってた言ってた！
カマド？
パチ
パチ

ホンマや…
何か変な物が中で燃えてんぞ…
ねえ…そういえば君達、あれ何の事？
え？
ホラ、言ってただろ？ロバートに「人殺し」って…
ロバートが帰る日、美沙姉ちゃんがロバートの気持ち聞いて来てっていうからバス停まで行ったの…
ちゃんと聞いたよ！「美沙姉ちゃんの事どー思ってるの？」って！
そしたらロバート紙にひどい事書くんだもん…
ね！
ひどい事？

死んじゃえって…

死んじゃえ？
ひどいよね？
ひどいひどい！
気にしないで…どーせこの子達の見間違いだから…
ロバートそんな悪い人じゃないし…
あんな名刺見せるんじゃなかったわ…
名刺？

ホラ
これよ!
根岸人形店
代表取締役
根岸明雄
……
この名刺を
財布の中から
見つけて
二人で大騒ぎ…
「これ誰から
もらったの?」
「この人どこに
いるの?」って…

見てみ!
何とか引っぱり
出したで!
何やコレ?
ん?
おい
コレ…
ま、
まさか…
スタンガンと
ちゃうか!?

ダダダ
和葉!!
あ、
平次!
だいぶ気分
よーなった
よ!

ちょっと服脱いでみ！
は？
ええから見せてみィ…
………
何でオレだけしばかれなアカンねん…
ホラ、ボク子供だから♡
あ…
あったよ背中に火傷みたいな小さな跡…
やっぱり、スタンガンで気絶させられたんや！
そんで？他に何かゆうてなかったか？
犯人は見なかったけど、倉の前で変な玉見つけたって…
玉？
これくらいの小さな白い玉って言ってたよ…

BB弾!?
もしそうだとしたら…
そうか!
その手があったか!!
この部屋の…
アレが絶対…
どっかに…

あった！あったぜ服部！
画ビョウの跡だ!!
こっちも見つけたで！両端に輪ァ作ってある変な釣り糸を!!
オレらが最初ににらんだ通りやったな…
ああ犯人は…
あの人に間違いない!!!

FILE.8 言葉にできない

ええっ!?犯人がわかった!?
本当に毛利さんがそう言ったのか?
そうや!
みんなに倉の二階に集まってもうてくれてゆうてたで!
あ、それと仕事場にあったぐらいの、ごっつい人形持って来てくれって…
あと、予備のガソリンなんかあると助かるんやけど…

おいおい…

2

何考えてんだあの大阪のボウズ…勝手に死体降ろしやがって…
あいつが本当にここで待ってろって言ったのか?
うん…
そうだよ!

ゾロ
ゾロ

ゾロ
ゾロ

おお、皆さんおそろいですな…

ではお話ししましょう…この武田家で起こった数々の事件の真相を…
ま、待ってください毛利さん……

私達がここに来て兄が首を吊っているのを発見した時、入口の扉は内側から鍵が掛かっていたんですよ？
たった一つの出入り口であるあの小窓は、子供がやっと通れるぐらいの大きさだし…

別に祟りだなんて思っちゃいませんが、犯人がいるというのならまず説明してもらえませんか？
犯人が犯行後ここから逃げた方法を…
フ…そんな方法があるのなら私が伺いたいぐらいですよ…

はぁ？
そう…犯人はここから逃げる必要なんかなかったんですよ…

信一さんの首を吊って殺害した時、
犯人はこの部屋にいなかったんですから…

バ、バカな!?

じゃあどーやって?
操り人形に使う釣り糸ですよ…

犯人は釣り糸とロープ、そして画ビョウを使って作り上げたんだ…
この密室殺人をね…

仕掛けは簡単…
まず、引っ張れば輪が絞まる状態にしたロープを縦のハリに結えつけ…

その輪を小窓まで持って行き、窓枠を囲むように固定する…
両端に小さな輪を作った釣り糸で、ロープの輪の四隅を引っ張るように画ビョウで止めてね…

でも何で兄は待ち合わせの場所に鍵なんか掛けたんですか？
そ、それに待ち合わせしとる相手に「窓から外を見ろ」なんて言われとったら誰だって不審がると思いますけど…
鍵を掛けたのは誰にも見られたくない重要な用事だったから…
窓の外をのぞいたのは音がしたから…

美沙さんの敵をとるためにね…

み、美沙ちゃんの敵？
ええ…恐らく犯人は、信一さんが本当の娘ではないとわかった美沙さんに辛くあたり続け、自殺に追い込んだと思ったんでしょう…

ほ、本当の娘じゃない!?
ど、どーいう事？

ですよね龍二さん？

6

あ、あなた…？
…スマン、陽子…お前にはいつか話さなければならないと思っていたが…
美沙は…あの子は…

兄の妻絹代さんとの間にできた…
私の娘だったんだよ…

そ、そんなウソでしょあなた!?
本当さ…あれはお前と出会う前、随分昔の事だったよ…

兄は子供が出来ない体だと、病院で知らされた絹代さんに涙ながらにお願いされたのは…「子供を熱望しているあの人の夢を叶えてくださいませんか?」とね…
あれっきりの事だったし…兄とは血液型も同じだから絶対バレないはずだった…三年前…病院の先生が兄に口を滑らすまでは…

おかげで美沙は自殺し、絹代さんも責任を感じ後を追うように…
私が…私があんな事を引き受けたばっかりに…
あなた…

でもどーしてわかったんですか?
美沙の父親が私だと
絹代さんも私もその事は誰にも…
名前ですよ…

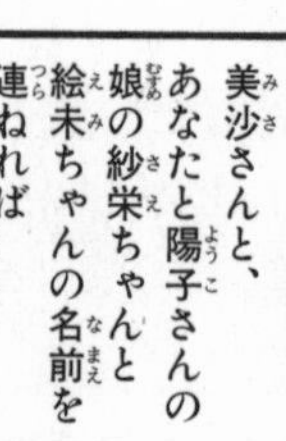
美沙さんと、あなたと陽子さんの娘の紗栄ちゃんと絵未ちゃんの名前を連ねればぐるりと一周する…

ミサ→サエ→エミ

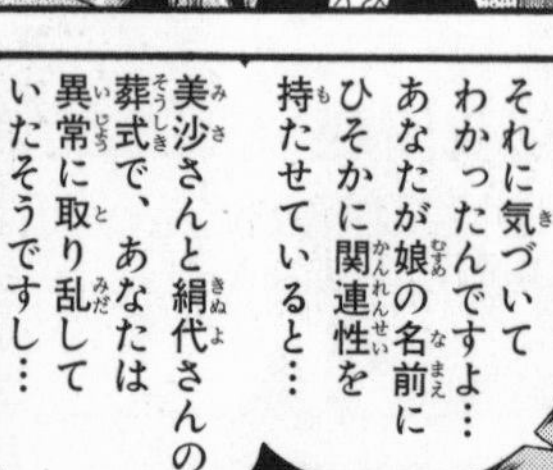
それに気づいてわかったんですよ…あなたが娘の名前にひそかに関連性を持たせていると…
美沙さんと絹代さんの葬式で、あなたは異常に取り乱していたそうですし…

え?でも娘の名前は全て母が…
わかっとったわ…
お前のために三人の名前を輪になるやァにしてやったんだがな…
ええ!?
フン!年寄りを馬鹿にすんな!
絹代さんが病院から赤子を連れ帰った時のお前ら二人の仕草を見たら、一目瞭然だったがな…

けどまさか信一のせいで命を絶った娘の恨みを、弟のお前が晴らしたとは見抜けなんだけどなァ…
え？
あろうことか御前様のせいにしおって！
ホンに興覚ェわい！
ち、違うよ母さん…僕は兄を殺してなんか…
龍二さんは犯人じゃありません…
言いましたよね？犯人は、エアガンで窓を撃ち、信一さんが窓から首を出した瞬間に糸を引き吊り上げたって…
いくら密室にしたからといっても、倉の前でそんな怪しい行動をしているのを見られでもしたらすぐに疑われるし…
摩擦や抵抗の多いこの仕掛けを、人間の力だけで作動させると失敗する可能性が極めて高い…
それを成功させるには、ロープの四隅をとめた画ビョウを一気に引き抜くぐらいの力が必要だ…
あの時、誰にも気づかれずにそんな事ができたのはたった一人…
車で蘭達と墓参りに行った…
ロバートさん…

あなたですよ!!
出かける時、倉の前で車を停め蘭達が駆け寄って乗るのを待っていたあなたなら、
運転席からこっそり倉の小窓を狙い撃ちする事も、発射音をエンジン音で隠す事もできる…
そしてあらかじめ小窓から出しておいた糸を夕食前に車に結んでおけば、車を発進させるだけで糸を強力な力で引く事ができ、
切れて車についたままの糸を景色を見るために途中で降りた山の中で回収し、エアガンと共に捨てる事もできるってわけですよ…
ちょっと待ってくださいよ! 車を動かしたのは確かに僕ですけど…
車に糸を結んだのは別の人かもしれないじゃないですか!!
それに僕はこの家に今日、たまたま三年振りに来たんですよ?
家の場所を忘れて道に迷ったぐらいだし…
ここに来てから墓参りに行くまでほとんどあなた達と一緒にいた僕に、こんな大仕掛けをここに仕掛ける時間なんて…
いいやあなたがここに来たのは三年振りじゃない…

数日前だ…
そう…根岸さんを殺し、この絡繰を仕掛けたその日ですよ…

な、なんだって!?
だから彼は根岸さんだけ納屋で首を吊らせたんです…仕掛けをするこの部屋を避けてね…
大阪の少年探偵を奇妙な依頼状で呼び通り道で待ち伏せたのは、三年振りに来たのを強調するため…
まさか、道に迷っていたところを少年探偵に拾われ、久し振りにこの家に来た男が前もってこんな絡繰を仕掛けているとは思いませんからね…
で、でもなぜ根岸さんを殺さないけんかったんだ?
さぁ…それはまだわかりかねますが…
その時、美沙さんが自殺した事と麻薬の事をロバートが知ってしまったのは確かでしょう…

ま、麻薬!?
ええ…信一さんは根岸さんと組んで人形に麻薬を詰め高値で売りさばいていたんですよ!
あ、兄貴が麻薬を!?
そんなバカな!?
疑うのなら後で仕事場にある人形を調べてみてください!麻薬が人形の中にぎっちり詰め込まれていますから…

そしてロバートは根岸さん殺害後、彼が持って行くはずだった麻薬入りの人形を一体だけくすね、後日信一さんをこの部屋へおびき出す口実を作ったんだ！
「麻薬に興味があるならいい薬が手に入ったので取り引きしませんか？」とでも電話してね…
根岸さんを殺し麻薬をくすねたのは身内の誰かだと疑い、大枚をはたいて犯人を私に捜させようとしていた信一さんは、この話に飛びついた…
そして、殺人絡繰が仕掛けられたこの部屋に呼び出され殺されてしまったというわけですよ…
違いますか？
止めてください証拠もないのにそんなデタラメ…
それにあなたは重要な事を一つ忘れています！
ちゃんと説明をしてくださいよ、信一さんが糸に絡まって首を吊っていた謎を…
あ…
ねえそうだったの？
あ、ああ…
え？

おーーいオッサン！
こっちの準備はOKや！
ドルルン
そうそう…あなたに言われるまですっかり忘れていました…信一さんに絡まっていた糸の事を…
実はもうそれも仕掛け終わっているんですよ…なぁコナン！
ホラ、暗くて見えなかったと思うけど…
糸は、ハリに結わえつけたロープの結び目の真下に、糊やハリを使って張り巡らせてあるんだ！

論より証拠、実際にやってみましょう…
では勇三さん！持って来た人形の首を小窓から出してください…
そう…信一さんが窓の外をのぞき込んだように…

12

そしてそれを車の中で確認したロバートは…
車を発進させた…
すると車に結ばれた糸が引っ張られ…
ドルルルル…

ロープを固定していた画ビョウが外れ、
ロープは信一さんの首を絞めつけながら窓とは逆方向に引っ張られ…
信一さんはハリに後頭部を強打し、この時点でほぼ即死…
さらに糸が引っ張られると…

糸は切れ…
信一さんの体は張り巡らされた糸の海にダイブし…
まるで蜘蛛の糸に絡まったかのように…
天井からブラ下がるって寸法だ…
ここで問題なのがロバートさん…
なぜあなたが信一さんが糸に絡まっていたのを知っていたかという事…

あなた方の中でこの事を知っていたのは、現場に来た龍二さんと勇三さんと智恵さんと深雪さんの四人ともう一人…
もちろんこの四人にはすぐ後で、現場の事を他言しないようにと念を押しておきました…
そして残るもう一人…
つまりそれは…

初めは魚買うて来た陽子さんとあんたを疑っとったけど、財布握ってたんは信一さんやと聞いたら怪しいのはあんた一人…

こら何かあるなと睨んどったんや…

まだ何も起こってへんかったから和葉をあんたと墓参りに行かせたんやけど…

信一さん殺されて焦ったわ…

犯人があんたやとしたら和葉ら連れて逃げる気ィかもしれへんってなァ…

和葉をスタンガンで
気絶させて、
殺さんと倉の一階に
糸で吊ったんは、
犯人が糸使て
祟りに見せよと
してんのを印象づけて、
信一さんの足元に
ばらまいた糸ん中に
両端に小さい輪ァのついた
変な釣り糸が落ちてんのを
目立たせんためと…
この部屋から
逃げる方法が
何かあるんやないかと
錯覚させるためや…
まぁ和葉にBB弾を
見つけられたからっ
ちゅうのもあるんやろ
けどね…
でもどーして?
何で根岸さんまで…
数日前…
僕がここを訪ねた時に
あの人言ったんだ…
美沙ちゃんなら
あんたが帰った後、
首を吊ったで…
どーせ信一に
いびり殺され
たんだ…
まぁ
しゃーないわ…
本当の娘じゃ
なかったし…
あがな傷ついた娘、
誰も嫁に取りゃせんし
生きとってもええ事
なかっただらァしなァ…
──って…
薬でラリってた
うつろな目で
笑いながら僕に
吐き捨てたんだ!

英語が苦手な
彼女のために、
三年間必死で
日本語の読み書きを
マスターして
やっと会いに来た
僕に…
彼女の笑顔に
迎えられるのを
待ち望んでいた
僕に…僕に…
そやけど…
和葉をあんな目ェに
遭わせたんは
やり過ぎやったん
ちゃうか?
もう誰が
傷つこうが
疑われようが
どうなってもいいと
思ったんだよ!!
彼女を見殺しにした
この家の人達もみんな…

こら最後までゆわんトコ思っとったけど…あんたに教えといたるわ…
あん時精神的に不安定やった美沙さんが…あんたとローマ字で会話しとった美沙さんがなァ…
よせ服部!!
自殺したホンマのワケは…
もしかしたらもしかしたらなァ!!
シャイン?
ええそうよ! Shineでシャイン! 輝いてるって意味よ!
きっとロバート、美沙さんの事光のような人やと思てたんとちゃう?
光?
そーいえばロバート言ってた…光のようなお嫁さんもらいたいって…
謝んなきゃロバートに…
謝るって?
だって——根岸おじさんと同じ字だったから、ロバートが美沙姉ちゃんにひどい事書いて渡したと思ったんだもん…
negishi ネギシ
shine シネ
「死ね」って…
16

ズル…
ズルル…

夜が明け、ロバートは鳥取県警に連行された…
ブオオオ

パトカーの中でロバートは同じ言葉を何度もつぶやいていたらしい…

何で自分は日本人じゃなかったんだ…
何で彼女はアメリカ人じゃなかったんだと…

まるで壊れた絡繰人形のように…
何度も何度も繰り返して…

〈掲載・週刊少年サンデー平成11年11号より平成11年18号まで〉

FILE.9 手負いの探偵団

一度ならず二度までも…
私をお助けになる貴方はいったい誰なのです…?
毛利探偵事務所
ああ…黒衣をまとった名も無き騎士殿…私の願いを叶えていただけるのなら…
どうかその漆黒の仮面をお取りになって素顔を私に…

おお…それが姫のお望みとあらば…
醜き傷を負いしこの顔…月明かりの下にさらしましょう…
グッ
スポッ

もーお父さん まじめにやってよね！ 学園祭の本番まで後、二週間しかないんだから…
バカヤロ… こんな歯の浮くよーな騎士のセリフ、真顔でやってられっかよ！
ふぁ…

だいたい誰なんだ？ こんなラブラブな劇の脚本書いたのは…
園子よ園子！ 黒衣の騎士は新一をイメージしたんだってさ！

ハハ… あの女…
おいおいちょっと待て!!

この後、「騎士と姫が熱い口づけを交わす」なんて書いてあんじゃねーか！
なにぃ!?
やだなー 振りだけだよ 心配しないで！

ね、ねえ… 誰がやるの？ この騎士役…
え？

3

あら 気になるの コナン君？
ちょ、ちょっとね…
どーせどっかのしょーもない男子生徒だろーけどよー…

あら、二人共よーく知ってる人よ！
知ってる人？

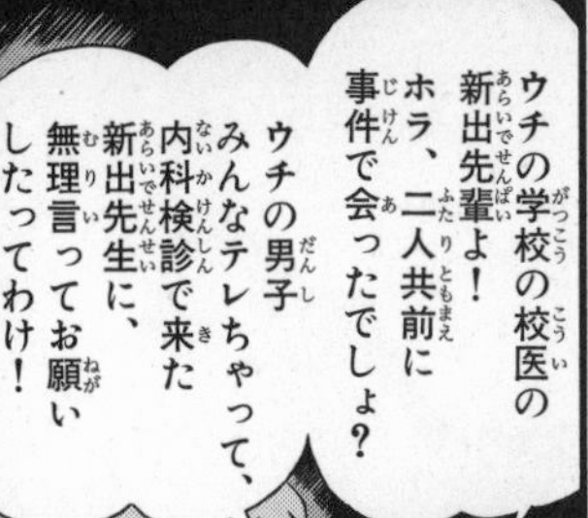
ウチの学校の校医の新出先輩よ! ホラ、二人共前に事件で会ったでしょ?
ウチの男子みんなテレちゃって、内科検診で来た新出先生に、無理言ってお願いしたってわけ!

え〜〜っ!?

先生、学生時代何度も主役はってたらしくてとってもうまいのよ! セリフ回しとか女性の扱い方とか…
お、おい そりゃイカンぞ イカン!!
ダメダメ! 止めなよ 蘭姉ちゃん!!

なーんて、先生には劇の練習を見てもらってるだけ!
騎士役は園子が男装してがんばるって言ってたよ!
なんだ…
アホらし…

やだ、もうこんな時間? 朝練があるから早くお風呂に入って寝なきゃ…
ああ風呂ならなんか壊れてるぞ… 湯が出ねーんだ…

え〜っ! ボクも入りたかったのに…
二人で銭湯にでも行ってくりゃいいだろ?
今日あそこ定休日よ! どーしよ 園子ん家は遠いし…

だったら博士ん家のお風呂使わせてもらう？ボク、丁度これから週末のキャンプの打ち合わせをしに行くトコだし…
え？ホント？行く行く！
じゃあ着替え取って来よっと！
チャ
あ、ボクも…
―ったく…

夜も遅いし、迷惑にならねーよーに二人で一緒に入ってサッサと帰って来るんだぞ…
ボッ
じょ…

冗談じゃないわよ!! 何で私がコナン君とお風呂に入んなきゃいけないのよ～～～～!!!

………
あ、だからやっぱりそーいう事は教育上よくないわよ…

ね、コナン君！
う、うん…

——阿笠博士の家——
♪♫
な——んか変なんだよな……

♪♫
蘭のヤツ最近…
あれ？それじゃったらこっそり君のセーターを編んどったからじゃろ？

ああ…そうだと思ったんだけどそれだけじゃないような気が…
どーいう事じゃ？
時々感じるんだよ…蘭がオレを見る目や態度が、小学一年生の子供に対してじゃなく…
まるで…
おいおい新一君…
まー気のせいだと思うんだけどよ…

バレてんじゃないの?あなたの正体…

あ、哀君?
………
私、朝まで地下室でやる事があるから邪魔しないでね…
おい…もし哀君の言った通りだとしたら…
バーロ、だったら何でオレにそう言わねーんだよ?
蘭にかぎってんな事ねーって…
それより博士が預かってるって女の子…どこにいるの?
ああ…哀君なら地下の部屋に…

なに?わたしがどーかした?
あ、いや…

あいさつしちゃおーっと♡
あ、ちょっ…
ガチャ
こんにちはアーイ…

ちゃん……
カシャ
カシャ

コ、コレ
哀君！あいさつぐらいせんか!?
いいわよ博士…
邪魔しちゃ悪いし…
カシャ
カシャ

じゃあまたね
哀ちゃん♡
カシャ
カシャ
パタン
カシャ
カシャ

もしかして
私…
逃げてる？
カシャ
カシャ
冗談じゃ
ないわ…
カシャ
カシャ

百年振りーのォ♪
世紀末ウ〜〜〜♪
ブロロロロ
泣けといわれーてーー♪♪
ボクは笑アーーったアーー〜♪
なあ博士…こないだの蘭の話だけどよ…
ん？
JASRAC 出9911270-901
もしもの時のためになんかいいメカ作ってくれよ…
メカと言ってもの──…
たとえば動いてしゃべるオレそっくりのロボットとかさ──…
んな物作れるんなら、今頃ワシは億万長者じゃよ！

ん？
プイ
はぁ？

よーし
テント完成じゃ!!!
ワシと哀君でカマドを作るから、君らはその辺の森から薪になる枝を拾って来てくれ!
ほーーーい!!

今夜はバーベキューバーベキュー。♪♫
おーい!もうそのくらいでいいだろ!早く戻ろーぜー!
ちょっとちょっと!
皆さん来てください!
ん?
ただの鍾乳洞じゃねーか…
「入るなキケン」って書いてあるよ…
入るなキケン!

注目するのはこれですよ！
この石に書いてある文字！
ん——？

龍の道に歩を進めよ…
さすれば至福の光汝を照らさん…

他にもいっぱい書いてあるけど、すり減ってて読めねーな…
シフクの光…？
幸せいっぱいの光の事ですよ！
それってもしかして…

お宝かも！！
ハハハ…またそれかよ…

問題は石に大きく彫り込んであるひらがなの「と」だな…
とん汁…
トパーズ…
とんねる…

徳川の埋蔵金…

なーんてな…

え？

おいおい
お前ら…
いーじゃない
ちょっと探検
するだけだから…
――ったく…

でっけー
洞穴だなー…
鍾乳洞
ですよ
鍾乳洞！
中はこんなに
広いんだね！

ん？
タバコ？
まだ
フィルターが
湿ってる…
オレ達の
他に…
誰か
いんのか？

遅いのー…

どこまで拾いに行っとるんじゃ…
森の中でも探検してるんじゃないの？
好奇心旺盛な探偵さんが引率者だし…

それより博士、料理の準備手伝ってよ！
あ、ああ…

あ、見てくださいい光です！
誰かいますよ！

さっきのタバコの主か…
もしかしたら誰かがお宝見つけたんじゃ…
おいマジかよ!?

くっそーもうちょっと早くここに入ってりゃ…
オレ達が先にゲットできたのに…
ダッ
ダダ

よ！

う…

うわああぁ
げ、元太?
し、し、死体…
ヤロォ…
!?
け、
拳銃
!?
伏せろォ!!!
!!

おいどーした？
ガキだ！ガキに見られた!!
おいおい親が一緒に来てんじゃねーのか？
いや…ガキが四人だけだったよ…
くそっ！ついてねーな…銀行強盗やりゃー仲間の一人が面見られるし…
そいつをバラしてここに隠せば足はつかねーと思ったら、今度はガキか…

おい…のん気な事言ってねーでガキを捜せ！
くそっどこ行きやがった…
ハァ
ハァ

おい…見つけたらどーする気だ？
バーカ…決まってんだろ？この暗い穴蔵ん中で永遠におねんねしてもらうんだよ…
ジャキ

その四人のガキの脳天に風穴を空けてな…

とりあえずお前は入口に走れ！ガキの足ならすぐ追いつける…
オレ達はもう少しこの辺りを捜すからよ…
オゥ！
タタタ
ハァ
ハァ
おい灰原聞こえるか？
灰原？

おい灰原、応答しろ!!
は、灰原…
よくこんな腕で今まで自炊してたわね…
ほっとけ…
どーしたんでしょうか?
スイッチ入れてないのかなぁ?
ハァ
ハァ
じゃあオレあいつらに何も見てねーって言って来るからよ…
ダメですよそんなの!
きっとコナン君がいい方法考えてくれるよ…

ね、コナンく…

コ、
コナン君!?
ハァ
ハァ

FILE.10
心強き名探偵達

ハア
ハア
コ…
コナン君!?
ハア
ど、どうしたんですか？その血…
まさか、さっきあいつが撃った弾が当たったのか？
ハア
ハア
コ、コナン君早く逃げないとさっきの悪い人達戻って来ちゃうよ！
ま、待て…遅かれ早かれ、外で待ってる博士と灰原はこの鍾乳洞へ来る…
何も知らないで奥まで入り、奴らに見つかったら殺される可能性が高い！
と、とりあえずこの鍾乳洞は危険だと、あの二人に知らせねーと…
ハア
ハア
でもどーすんだよ？

メモなんか残しても奴らに見つかったら破られちまうぞ！
やっぱり奥へ逃げながら、バッジについてるトランシーバーであきらめずに二人に呼びかけた方が…
バ、バーロ…これ以上奥へ行けばトランシーバーは使えなくなっちまうよ…
ハァ
ハァ
ゴソ
じゃあどーするの？
この犯人追跡用のボタン型発信器を使うんだよ…
裏はシールになってて…10枚ほどめくれるようになってんだ…
でもそれでどーやって…
ハァ
ハァ
せ、説明してる時間はねえ…
オレの言う通りには、早くこれを…
ハァ
ハァ
ハァ
ガキ共め…どこに行きやがった!!

おいいたか!?
いや…入り口から外には出てねぇみてーだぜ！
妙だな…この辺はあらかた捜したし…
残るは奥へ通じるあの道だけだが…
フン、だったら追うこたァねーぜー
ガキ共は御陀仏だ…
この奥は入り組んでて遭難者がゴロゴロ出てるって言うしよ———…

いや、追うんだ！
万が一の事もある…
ガキ共が
奥に行ったのは
確かなようだし
な…
眼鏡？

でもよー
その眼鏡、
前にここで
遭難した
奴のかも
知れねー
ぜ？
バーカ
これを見て
みろ！

血!?
血じゃ
ねーか
それ!!
ああ…
しかも
まだ乾いて
ない…

なるほど…
ガキ共に
追いつくのは
造作もねーって
わけか…
そういう
事だ…

カァ
カァ
ねぇ…
いくらなんでも
遅過ぎると
思わない？
そうじゃ
の——…
ちょっと私
森の方を
見て来るわ…
お、
おい…

ハァ
ハァ
ハァ

だ、大丈夫ですか？コナン君…
あ、ああ…一応でっけーバンソーコー貼ったから…
ハァ
ハァ
ハァ
そ、それより元太…もっと早く歩けねーのかよ？奴らに追いつかれちまうぞ…
ハァ
でもよー…揺らすといてーんじゃねーのか？
……
わたしがいけないんだ…「ちょっとぐらい平気」なんて言ってこの鍾乳洞に入んなきゃ…
ハァ
ハァ
コナン君、こんな目にあわなくてすんだのに…

歩美ちゃんのせいじゃありませんよ！元はといえばボクがこんな所を見つけたから…
ハァ
ハァ
バーカ！悪いのはオレに決まってんだろ？オレが調子に乗ってあの悪い奴らが死体運んでるトコを見ちゃったから…
バーロ…

オメーらがこの鍾乳洞に入ったおかげで、迷宮入りしそうだった殺人事件が解決できそうなんだぜ？
ハア
ハア
しけた事言ってんじゃねーよ…

さぁ…奴らから逃げおおせたらみんなでバーベキューだ…
もっとポジティブに明るく行こうぜ…
ハア
ハア
うん！

うわ…道が二手に分かれていますよ…
どうしよう…

じゃあジャンケンで…
げ、元太…腕時計型ライト貸してくれ…
ハア
ハア
え？
い、いいから早く！
ハア
ハア

おーーいみんなーーー！
どこじゃーーー！おーーい！

見て博士…薪用に集めた枝よ…
え？

四人分きれいに入り口に並んでるわね…
じゃあまさかあの子らはこの鍾乳洞の中に…

おっと…分かれ道だぜ…
くそっどっちに行きやがった!?

おい、何だアレ…右の道の奥…
何か光ってんな…
ライト付きの腕時計か…洒落た物持ってんじゃねーか…
じゃあ間違いねぇ…
ガキ共はこっちの道を…

待て！
そいつはワナだ…
え？

よく考えてみろ！いくらガキでも、光っている物を落として気づかねーわけがねー…
しかも御丁寧に時計のベルトがしまってやがる…

つまりこっちの道を通ったと見せかけて…
実はこっちに逃げたってわけだ…

ガキがなめたマネを…
フン…面白いじゃねーか…ますます拝んでみたくなったよ、その四人のガキ共の面を…
ああ…恐怖にひきつり命乞いする顔をなァ…

ハァッ
ハァッ
ハァッ

でも大丈夫でしょうか？腕時計型ライトをわざわざこっちの道の入り口に置いて来たりして…
あ、ああ…たぶん奴らは逆の道を行ってるはずだ…
銀行強盗をやらかした連中だから、頭の働く奴が一人ぐらいいるだろーし…
ハァ
ハァ
でも彼らが二手に分かれてこっちの道にも来たらどーするんですか？
来ねーよ…トランシーバーも使えない鍾乳洞内で、単独行動は命取りになる事ぐらい奴らだって知ってるさ…
ハァ
ハァ
あ…
ピチャ
わ♡お魚さんがいるよ!!
あ、歩美ちゃん
……
……
ハァ
ハァ
ハァ
なあ…その魚目玉ついてるか？
え？
ありますよちゃんと…アユだと思いますけど…
え？何だ？食うのかアユ♡
このまま逃げてたら腹減っちまうし…
バ、バーロ…オレ達はただ単に逃げまわってるわけじゃねーよ…
ハァ
ハァ
め、目玉が退化してない魚が鍾乳洞の中にいるって事は、どこかの川から迷い込んで来たって事…
つまりその水の流れをさかのぼって行けば…
ハァ
ハァ
外に出られるかも!!
そゆコト…
ハァ
ハァ

この眼鏡…
カシャ
工藤君のよね…?
じゃあやっぱりこの中で迷ってるんじゃ…
でもどうしてこんな所に…
大変じゃ早く捜しに行かんと…
ダッ
ピッポ
待って……
え?
何か落ちてるわよ、このそばにたくさん…
ん──?

こ、これはボタン型発信器!!
触らないで!!
何かの形になってるみたいよ…
受信範囲を縮小すると…
キュイイ
こ、これって…

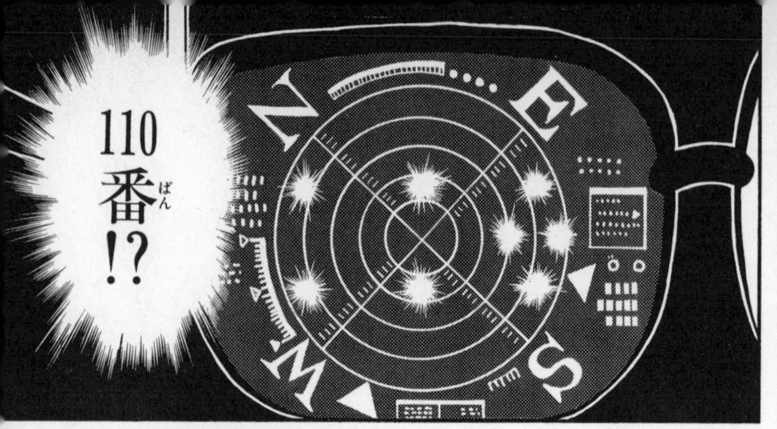
110番!?

おい
どーなってんだ!?
行き止まりじゃねーか!?
ガキだ!!
ガキに一杯食わされたんだよ!!
ハッハッハッハッ…
すぐに引き返して後を追うんだ!!
ブチ殺してやる!!!

えーっ
うそ――…
ハァ
ハァ
マ、マジかよ……?

あんな所からじゃ外に出られませんよ…
確かにアユはここから来ているみたいですし…
ピチャ
じゃーわたし達死ぬまでここから出られないの？
ガッカリするのはまだ早いぜ…
見ろよ…天井から木の根が出てる…
地表が近い証拠だ…もしかしたら出口がそばにあるかもしれねーぞ…

でも出口なんて見当たりませんよ…
?
あ…

12

た、卵だ！
なんかでっけー卵があるぞ！
ええっ!?
ただの卵型の石が岩の上に乗ってるだけじゃないですか…
なんでーつまんねーの…

なんか変な所に来ちゃったね……
ああ…道が五つも分かれてるぞ……
どれかが出口に通じているんでしょうか……

妙だな…こんな石が自然に岩の上に乗るわけがない……
誰かが意図的に置いたんだ…
でもいったい何のために……

ちょっと見てください！何か文字が彫ってありますよ！
え？
闇に迷いし者
龍の道に歩を進めよ
さすれば至福の光
汝を照らさん…
闇に迷いし者…？
入り口の石に彫ってあった文とほとんど一緒ですね…
ザワ
？

キャアアア
コ、
コウモリ!?
ドサ
ドサ
うわあああ

今の声…
間違いねぇガキ共だ!!
近いぞ急げ!!!
いやあああ!!
動くな!!
じっとしてろ!!
カン
カン
ど、洞窟のコウモリは昆虫を食ってんだ…
だから小さな物の動きや音に敏感に反応するんだよ…
へ、変な物見つけないでくださいよ、歩美ちゃん…
だってー…
いや…お手柄だぜ歩美ちゃん…
洞窟のコウモリは出入り口から300m以内の所にしか生息しないんだ…
え?
つまり…

オレ達が目指す出口は…
ハァ
ハァ
ハァ!!
もう目と鼻の先にあるってわけさ…

ほ、本当ですか!!

だが問題は、この五つの道の中のどれが出口に通じているかって事だ…
オレの推理じゃ龍の道がそれのはずなんだけど…
ハァ
ハァ
ズキン

ズキン
くそっ…目がかすんできやがった…
ズキン

ダ
ダ
ダ
気になるキーワードは入り口の石に大きく彫られた「と」の字と「龍の道」…そして岩の上に置かれた卵型の石…

「と」…「龍」…「卵」…?
ズキン
ズキン

!!
じゃあ五つの道を端から順に入ってみましょう!
い、いや…入るのは一つだけだ…
ハァ
ハァ
え?
き、刻まれた文字の闇に迷いし者とは道に迷った者…
し…至福の光とは出口の光の事…
ハァ
ハァ
つ、つまり入り口の石やその岩にはこの鍾乳洞からの脱出方法が書いてあったんだ…

で、出口は龍の道……
そ、その…龍の道…と…は…
ハァ
ハァ
……
え?
コ、コナン君!!
血がいっぱい出てるよ!!
ダダダダ
やべぇ!奴らが来る!!
あ、足音!?

くそ！どの道に入りやがった!?
焦るな！ガキの一人はケガ人だ…足は速くない…
ザザッ
オレ達二人が片っ端から捜すからお前はそこで見張ってろ！

どーしてこんな所に入っちゃったんですか!?
しゃーねーだろ？一番奥にある道だと思ったら、ただの穴だったんだからよ！
ケンカしてないで、コナン君が言ってた龍の道を早く見つけないと殺されちゃうよ！

コ、コナン君抜きでですか？
マジで…？
マジだもん…

FILE.11 一つの確信

あいつ全然動かねーじゃねーかよ…
変ですね…彼が生理現象を催せば、ここから抜け出す絶好のチャンスなんですけど…
そんなの待ってらんないよ！あの人の仲間がいつ戻って来るかもしれないし…

早くこの鍾乳洞を抜け出して、コナン君を病院に連れて行かないと…
そ、そうですよね…とにかくコナン君が言っていた出口に通じる「龍の道」を捜しましょう！

分かれ道は五つ！
あの見張りがいるのは石の卵の横…
そしてボク達がいるのがココ…

ここは道じゃなくただの穴ですから残りの四つの道の中に龍の道があるはずなんですけど…
龍の道 龍… ドラゴン…
ドラえもん…

ま、待ってください！ドラゴンの頭文字はDですよね？
DRAGON
Dはアルファベットの四番目の文字！
？
じゃー四つ目の道が龍の道…

…入った側から四つ目はボク達がいるこの穴ですね…
うそー…
そーいえばコナンがオレの頭の後ろでブツブツ言ってたぞ…
え？
キーワードは「と」の字と「龍」と「タマゴ」とかなんとか…

どーして
それを早く
言わないん
ですか!!
ヤ、
ヤバ…
こっちに
来る!!!
4

と、とにかくキーワードは「と」と「龍」と「卵」…
さっぱりわかんねーな…
龍がヘビなら卵が大好物なんだけどなー…
ヘビ？
田舎のおばーちゃんが言ってたの…巳年生まれでヘビに詳しくなっちゃったんだって！

「と」と「龍」と「卵」は、十二支を暗示するキーワードだったんですよ！
「龍」は辰年「卵」は巳年！
子
丑
寅
卯
辰
巳
亥
戌
酉
申
未
午
じゃあ「と」は何なんだよ？
きっと寅年か酉年の事ですよ！
卵の位置が巳年だとすると、五つに道を示す干支はこうなって…
辰年、つまり龍の道は卵のすぐ横の…
ヘビ
タツ
ウサギ
トラ
ネズミ
ウシ
けどそれってさっき悪い奴らが行き止まりだって言ってた道じゃねーかよ？
それに卵だったら酉年の方が関係あると思うけど…
で、ですけど…
そうすると「と」の字の意味と重なってしまいます…

あ、もしかしたらあの卵、ウサギ年の事かもしれません！ウサギ年の「卯」って「卵」の字に似てますし！
でも卵を生むのは鳥さんだよ？
？
うーん…なんか「と」と「龍」と「卵」は十二支を暗示するキーワードじゃないみたいですね…となると残る共通点は三つとも一文字って事ぐらいしか…
何言ってんだよ？タマゴは二文字だろ？

オレ近所の定食屋で「玉子焼き」の事「王子焼き」って読んじまってよー…
他の客や母ちゃんに笑われた事あっから間違いねーぞ！

お、王子焼き…
バカねー元太君！王子様を焼いてどーするのよ？

でも卵って玉の子っていうふうにも書くね…
だろ？
ま、待ってください！

これってもしかしてもしかしたら…
将棋の事なんじゃないでしょうか!?

え？
歩の裏は「と」…飛車の裏は「龍王」…そして元太君のいう通りあの卵が玉子だとしたら、恐らく「玉将」の事…
ギョクショウって？
将棋を指す時、格下の人が使う王将の事ですよ！

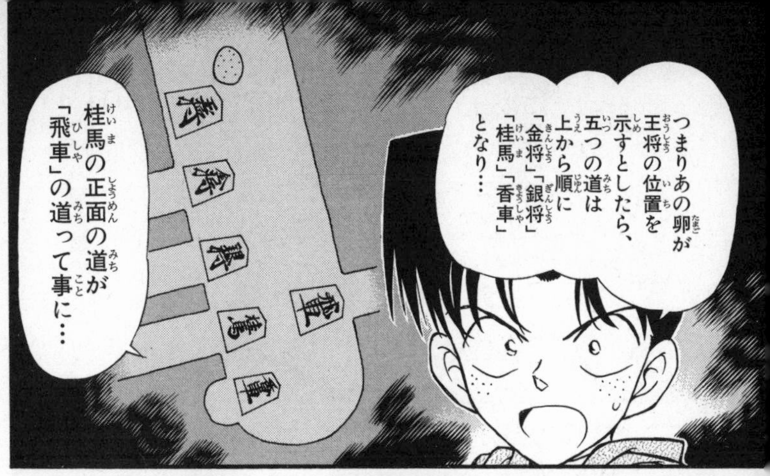
つまりあの卵が王将の位置を示すとしたら、五つの道は上から順に「金将」「銀将」「桂馬」「香車」となり…
桂馬の正面の道が「飛車」の道って事に…

じゃ龍の道って…
ええ!この穴の斜め前にあるあの道が出口に通じているんですよ!

でもどーすんだ?
あの道に入るには、あいつの前を横切んなきゃいけねーぞ!

困りましたね…
ボク達の武器といえる物は、時計型ライトと探偵バッジぐらいしかありませんし…
バッジ…

そういえばコナン君が…

ねえ…うまくいくかどうかわからないけど…

いっせー
の———…
ん？
な!?
ザザ
くらえ
!!
バカなガキ共だ!!
そんな石コロでオレが
やっつけられる
とでも…
え？
カン
カン
カン

バサバサ
うわっ
バサ
今だ入れ!!
バサ
バサ
ダッ
おい！どーした!?
ガ、ガキだ…
10
ガキ共があの道に…
ヤロォ…
逃がすかァ!!!
ダッ

タタタ
ハァ
ハァ
ハァ
ハァ
ハァ
で…
出口ですよ!!
バッ
ダッ
ダッ
ダッ
げ、元太君!!
さあ二人共…
外に出ずにこっちへ来るんだ…
オラ早くしろ!!
こいつの脳天ぶち抜くぞ!!

警察だ!!!
お前らは完全に包囲されている!!銃を捨てて投降しろ!!
ちっ…
バカめこれが見えねーか!?
このガキを殺されたくなかったら道を…

バーロ…
オメーの将棋は
もう詰んでんだ…
ハァ
ハァ
なに!?
じたばた
してん
じゃ…
ハァ
ハァ
ハァ
ハァ
パカ
ねーよ…
プス
13
こうして
強盗犯三人は
逮捕され、
オレ達の
鍾乳洞探検は
終わりを告げた…
警察を呼んだのは
博士と灰原…
オレ達が出口に
向かっていると
踏んで、
この出口の場所を
現地の人に聞いて、
丁度着いたところ
だったそうだ…
その人の話によると
あの謎めいた暗号は
大昔からあった物で
誰が印したのかは
定かではないらしい…
そんな会話を
薄れゆく意識の
奥で聞きながら、
オレの体は
米花総合病院に
運ばれた…
ピーポー
ピーポー

ええ!?
手術!?
米花総合病院
ただのケガじゃなかったんですか?
いやそれがその…
拳銃で撃たれたのよ…
え?

銃創の部位は左側腹部…
弾は貫通してるけど、出血が多く腎損傷の可能性もあって危険な状態らしいわよ…

な、何ですかこの子は?
あ、ワシが今預かってる子じゃよ…灰原哀といって…
ガラ
ガラ
コナン君しっかりして!
もうちょっとの辛抱だから…

ん？
先生大変です！
前の患者の手術でこのボウヤと同じ血液型の保存血を使ってしまって、在庫がほとんどありません！
おいおい…
今から血液センターに発注しても間に合わんぞ…
あの…わたしの血でよかったら…

わたしも
この子と同じ
血液型ですから…

え?
な!?
おい…お前どーして…
あ、でも一応調べてください…
では急いで採血室へ…
蘭…
タタタ
やっぱり…

やっぱりお前…

手術中

―名探偵コナン25・完―

〈掲載・週刊少年サンデー平成11年22・23号より平成11年25号まで〉

名探偵コナン㉕

少年サンデーコミックス

1999年11月15日初版第1刷発行　　　（検印廃止）
2001年8月20日　　第7刷発行

著者　　青山剛昌
©Gôshô Aoyama　1999

発行者　　三宅　克

印刷所　　図書印刷株式会社

PRINTED IN JAPAN

発行所　（101-8001）東京都千代田区一ツ橋二の三の一　株式会社 小学館
振替（00180－1－200）
TEL　販売03（3230）5749　編集03（3230）5480

ISBN4－09－125495－0

既◇刊◇好◇評◇発◇売◇中◇!!

●少年サンデーコミックス

- MAJOR ★1～35巻好評発売中!! 満田拓也
- 烈火の炎 ★1～29巻好評発売中!! 安西信行
- 犬夜叉 ★1～21巻好評発売中!! 高橋留美子
- キャットルーキー ★1～20巻好評発売中!! 丹羽啓介
- からくりサーカス ★1～18巻好評発売中!! 藤田和日郎
- モンキーターン ★1～17巻好評発売中!! 河合克敏
- かってに改蔵 ★1～12巻好評発売中!! 久米田康治
- 育ってダーリン ★1巻好評発売中!! 久米田康治
- 天使な小生意気 ★1～9巻好評発売中!! 西森博之
- ファンタジスタ ★1～9巻好評発売中!! 草場道輝
- 神聖モテモテ王国 ★1～6巻好評発売中!! ながいけん
- 東京刑事 ★1～5巻好評発売中!! 鈴木けい一
- MISTERジパング ★1～5巻好評発売中!! 椎名高志
- トガリ ★1～3巻好評発売中!! 夏目義徳
- まじっく快斗 ★1～3巻好評発売中!! 青山剛昌
- ダイナマ伊藤! ★1～3巻好評発売中!! 杉本ペロ
- プニャリン ★1～2巻好評発売中!! コージィ♡城倉
- 大棟梁 ★1～2巻好評発売中!! 西条真二
- 漢魂!!! ★1～2巻好評発売中!! 南ひろたつ
- ナイト・ラヴァーズ ★1巻好評発売中!! 原作／文月剣太郎 作画／清水洋三
- 金色のガッシュ!! ★1巻好評発売中!! 雷句 誠

動物のカメちゃん　噌西けんじ
★1巻好評発売中!!

ナズミ@　岸みきお
★1巻好評発売中!!

サッカーキング　忍野慶殊
★1巻好評発売中!!

●少年サンデーブックス

スプリガン　原作/たかしげ宙　作画/皆川亮二
★1〜2巻好評発売中!!

青山剛昌短編集・4番サード　青山剛昌
★全1巻好評発売中!!

●少年サンデーコミックススペシャル

バーチャファイター　原作/七月鏡一　作画/藤原芳秀
★全3巻好評発売中!!

ドルフィン・ブレイン　山田玲司
★1〜2巻好評発売中!!

スプリガン　原作/たかしげ宙　作画/皆川亮二
★全11巻好評発売中!!

KYへO　原作/たかしげ宙　作画/皆川亮二
★全1巻好評発売中!!

魔界武芸帖サムライスピリッツ　原作/七月鏡一　作画/三好雄己
★全1巻好評発売中!!

ますらお　北崎 拓
★全8巻好評発売中!!

ふ・たり　北崎 拓
★全6巻好評発売中!!

たとえばこんなラヴ・ソング　北崎 拓
★全6巻好評発売中!!

DADA!　吉田 聡
★全8巻好評発売中!!

吉田聡傑作短編集 バードマン★ラリー　吉田 聡
★全1巻好評発売中!!

超時空要塞マクロスII　構成/富田祐弘　作画/岡崎つぐお
★全1巻好評発売中!!

●少年サンデー特装版コミックス

臥竜―化石の記憶―　森 秀樹
★全1巻好評発売中!!

S0-AVD-213